Martine Finch.

LE PAVI...

*Valérie Valère est née...
elle fit un séjour de ...
pour anorexie mental...
suivant les cours de f...
tellini. Elle tourne une...
rôle dans une pièce de .... A quinze ans,
elle décide d'écrire un document autobiographique qui raconte
son enfance et son séjour à l'hôpital :* Le Pavillon des enfants
fous, *publié en 1978. Après son bac, Valérie Valère fait des études
de lettres à la Sorbonne et continue à écrire deux romans* Malika
ou Un jour comme les autres *et* Obsession blanche *(1979 et 1981).
Elle prépare actuellement un troisième roman.*

Valérie, à treize ans, décida de ne plus se nourrir. Très affaiblie
par cette maladie appelée anorexie mentale, elle fut internée
quatre longs mois dans un hôpital psychiatrique pour enfants à
Paris. Dans ce livre, elle raconte son refus de la nourriture; se
nourrir ce serait vivre et la façon de vivre de ceux qui l'entourent lui répugne. Agrippée à la barre de son lit, elle résiste aux
infirmières et aux médecins. L'énergie qui peut se mobiliser
dans un corps si faible est prodigieuse. Autour d'elles vivent de
bien tristes malades : le pavillon des enfants fous est, en réalité,
celui des enfants abandonnés. Personne ne veut plus s'occuper
de la jeune Algérienne boulimique ni de la petite fille mal for-
mée, et ses parents à elle ont bien trop de problèmes personnels
pour lui donner l'attention dont elle a besoin. Accablée par les
souvenirs, elle réfléchit sur la folie des gens ordinaires, ceux qui
ne sont pas internés ! Sa vision des hôpitaux psychiatriques est
cruelle et son récit atteint une intensité poignante. Valérie sera-
t-elle sauvée par sa volonté de sortir de cet enfer ?

VALÉRIE VALÈRE

Le Pavillon des enfants fous

STOCK

AVERTISSEMENT DE L'ÉDITEUR

INTERNÉE à l'âge de treize ans pour anorexie mentale dans un hôpital parisien, Valérie Valère a attendu d'avoir quinze ans pour écrire ce récit : « Ces quatre mois restaient tellement présents en moi, tellement que j'ai compris que si je ne disais pas ce temps passé dans le pavillon des enfants fous, il me gênerait, s'interposerait entre moi et la vie. Il fallait que j'en sorte ! »

Elle s'est mise devant sa machine à écrire et ne l'a quittée que lorsque la dernière ligne de son texte a été tapée, se refusant même à le relire. Ce fut, d'après elle, une expérience douloureuse : elle avait voulu revivre son hospitalisation en s'appliquant à faire abstraction du temps écoulé depuis.

Dès que la publication de ce qu'elle considère comme un témoignage a été décidée, elle a relu son texte, n'y apportant que peu de corrections de forme : « Ce n'est pas une œuvre littéraire. Je ne me suis pas mise à écrire calmement dans la solitude de ma chambre, la pensée claire recherchant le mot juste. Il n'y a pas de mots raisonnables pour décrire le monde des fous. Je me refuse à transformer ce texte en une écriture soignée, polie. Il ne s'agit pas d'une chose abstraite, de fantasmes intellectuels, mais d'une souffrance endurée. Je ne traduis pas de jolis sentiments et je ne raconte pas une histoire avec des enchaînements bien logiques. »

C'est volontairement que Valérie a laissé des répétitions de mots devenant obsessionnels comme « sale », ou des phrases leitmotive comme « ils ne m'auront pas ».

Elle estime que son livre est l'expérience d'une folie : « Quand on est dans la peau d'un fou, on n'exprime pas la colère avec des phrases logiques, raisonnables et des mots de bonne compagnie. »

Valérie a aujourd'hui seize ans.

1

MES yeux se sont détournés des vitres teintées, mon dos se redresse légèrement et mes larmes redoublent. Le bruit de la clef qui tourne dans la serrure... La porte jaune qui s'ouvre sur cette silhouette blanche, comme j'aimerais qu'elle ne soit qu'une silhouette, un fantôme qui passe et ne s'arrête pas... Recroquevillée près de l'oreiller, agrippée à la barre du lit, coincée entre la table de nuit de fer peinte en blanc et mon malheur, je l'observe derrière le brouillard de mes larmes, mon regard se fixe sur le plateau qu'elle porte, cet indéniable défi... Energique, elle le pose sur la table et me regarde en me montrant la chaise, puis m'invite, phrase banale qui, ici, devient tellement cruelle... Lentement, pour reculer la menace, je me lève et traverse le dérisoire mètre de carrelage moucheté qui me sépare de l'autre extrémité de ma prison. Je fais semblant de ne rien voir sur ce plateau, raison ridicule de tous ces murs. Je baisse mes yeux sur mes cuisses maigres et décharnées. En réalité, mon regard a tout remarqué : les compartiments inégaux, modelés dans la forme, les morceaux de viande noircis, les haricots verts luisants et énormes, la platée de riz, l'œuf dur couvert de ce qu'ils doivent appeler de la « mayonnaise », le pain rassis et le dessert écœurant.

Elle croit vraiment que je vais manger ça ? J'enlève les impuretés amassées sous l'ongle de mon index droit, j'attends, pleurante et butée. Non, ils ne m'auront pas ! Je veux qu'ils m'oublient, qu'ils me laissent mourir dans ce carcan, qu'ils m'ignorent et ne me torturent plus avec ces plateaux et ces menaces, je ne demande rien ! Elle n'obtiendra rien, elle peut parler, essayer n'importe quelle ruse stupide : comme chercher à m'attendrir sur mon terrible sort, prendre tour à tour un air apitoyé, coléreux, indifférent ou dominateur. « Tu n'aimerais pas mieux être chez toi ? Ce serait bien quand même, tu ne crois pas ? » Puisque c'est vous qui le dites, pourquoi vous ne m'aidez pas à m'échapper ? Dire qu'il leur faut un diplôme pour poser des questions pareilles !...

Je regarde mes jambes en baissant la tête. Elle a rapproché ma chaise afin que mon front soit au-dessus du riz collé qui me donne envie de vomir et elle a commencé un sermon méchant et stupide à propos du soleil qui brille sur les petites feuilles rousses de l'automne et de ce garçon qui est resté quatre ans dans une chambre en baissant la tête sur les plateaux.

« Il fait très beau dehors, tu sais, le soleil est chaud. »

Moi je m'en moque du soleil, elle veut me faire très mal, ce n'est pas la peine il n'y a plus que cela en moi : du mal. Elle s'est creusé la tête une heure pour inventer des histoires, elle a même essayé de me montrer comment prendre une fourchette et mastiquer, des fois que j'aurais oublié !

Qu'est-ce que je fais ? Je la prends cette fourchette pour faire semblant de me forcer, pour qu'elle dise que j'ai fait un « effort » ? Non, après elle voudra que je m'en serve, elle pourra prendre ma main, s'approcher davantage de moi... Et puis, je veux qu'ils sachent que, de toute façon, ils peuvent faire n'importe quoi, je refuse leurs sales plateaux. Je n'en veux pas ni de leur pitié ni de leurs paroles. Ils ne m'auront pas. Pourquoi ont-ils le droit de m'enfermer ? Personne ne dit rien. Personne ne proteste. Ils s'en moquent, mais bientôt ce sera peut-être leur tour s'ils pleurent trop souvent, s'ils sont toujours tristes... s'ils n'ont pas assez faim au goût des autres; ces autres qui peuvent vous enfermer et faire de vous ce que bon leur semble.

Elle m'a laissée seule devant mon plateau, elle croit peut-être que c'est sa présence qui me gêne pour l'engloutir... les larmes me réchauffent de leur amertume et de leur impuissance. Je voudrais lui marcher dessus, écraser cet œuf qui sent mauvais et me donne la nausée, rendre à jamais inacceptable ce qu'ils me proposent sur ces plateaux de prisonnier... Mais quel crime ai-je donc commis ? Ai-je tué quelqu'un et perdu ensuite la mémoire ? Ai-je tué, volé ? Non, j'ai fait un choix. Il ne les concerne pas, ce n'est pas eux qui en souffrent, je suis « inoffensive ». Je les déteste ceux qui disent que je leur fais du mal en me laissant mourir. Ils ne peuvent pas savoir, je ne leur dirai pas, d'ailleurs ils ne m'aiment pas, ce n'est pas ainsi qu'on aime. « Il est interdit de disposer de votre personne à votre gré, mademoiselle, vous ne vous appartenez pas, votre corps est à nous. »

Je me vengerai, je leur ferai du mal, pire que ce qu'ils pourront jamais me faire. Me venger ? moi, misérablement enfermée, impuissante. Ce sont eux les plus forts, ils ont les clefs. Même si je franchis un jour cette porte de quoi pourrai-je les accuser ? Ils diront : « La pauvre, on l'a sauvée d'une mort certaine, elle est encore bouleversée, mais bientôt elle nous remerciera... »

Ma colère s'en va et fait place à un terrible découragement qui me laisse inutile, oubliée. Les murs vacillent autour de moi, comme ces manèges sur lesquels je ne pourrai plus jamais monter. Quelle importance d'ailleurs, je les déteste. Elle va revenir chercher le plateau, encore plus lourd, chargé de mon refus et de mon désespoir. J'espère qu'il la fera tomber dans ce couloir sombre, l'œuf pourri devenu une tare irrémédiable restera collé sur son visage, les grains de riz entreront dans ses yeux, ils la rendront aveugle et lorsque ce soir j'aurai la permission d'aller aux lavabos, je pourrai passer devant elle en la méprisant, elle couverte de cette nourriture, répugnante...

Le terrible bruit de la clef qui tourne dans la serrure, elle entre, les mains dans les poches de son affreuse blouse de geôlière, la démarche coléreuse, l'œil impitoyable :

« Tu ne veux pas manger ? Moi, ça m'est égal, tu resteras ici, tu t'y plais bien ? »

Pendant son absence, j'ai retrouvé le contact du drap rêche, elle me regarde comme si j'avais commis un crime, je ne demande rien à personne, moi, je n'ai rien fait et vous le savez.

« Tu n'as pas même fait l'effort de rester à table. Tant pis pour toi, je te laisse, tu auras tout le temps pour réfléchir. »

Non, elle ne tombera pas dans le couloir, mais ça m'est égal, je ne suis même plus sûre de lui en vouloir, je la méprise seulement...

Personne n'entrera maintenant. Personne ne viendra avec un plateau avant un temps indéfinissable. Je suis seule dans le silence d'une prison injuste, seule avec mes pensées écorchées autant que mon corps. Je regarde ma main posée sur le tissu-éponge du pyjama, je déteste les pyjamas, ils ont un air malsain.

Non, je ne céderai pas à leur chantage humiliant, d'ailleurs, je n'y ai même pas pensé. Ils ne m'auront pas, je ne sais plus dire que cela. Ils m'ont conduite dans cette forteresse en me traînant par les cheveux : « Tu es malade, ici on va te soigner, tu verras, ça ira mieux. » Non ! je ne suis pas malade, je me sens très bien. Je n'en veux pas de vos soins, je veux rester seule avec moi, je ne viendrai pas avec vous ! Leur regard était vide, leurs mains prêtes à me saisir : « On ne te fera pas de mal, on ne te forcera pas à manger, on trouvera ce qui ne va pas dans ta petite tête, et ça ira tout seul. Tu verras des gens qui t'aideront, tu continueras tes cours. » Menteurs ! Et puis, de quoi parlent-ils ? Je n'ai besoin de personne, je m'en moque de tous ces gens, je les refuse ! quelle importance après tout ?

Je ne peux pas voir ce qu'il y a derrière la fenêtre, les vitres sont teintées, ils ont pensé même à cela ! Juste dans le dernier carreau, le plus haut, lorsqu'il est ouvert j'aperçois les feuilles d'un arbre, elles sont immobiles, il ne fait pas de vent. J'attendrai, qu'est-ce que je peux faire d'autre ? Je ne peux pas lire parce que les livres sont la récompense de mille grammes, je ne peux pas écrire parce que le papier se paie ici au moins deux mille grammes, la clef qui ne tournera plus : trois mille,

11

le bain chaud quatre mille... j'aurai même le droit de choisir l'ordre de ces faveurs.

Je les déteste, je les hais. Je n'ai rien fait. Seul le mur blanc me répond, lui aussi il est avec eux. Le lit est très haut, j'ai l'impression que le sol est très loin de moi, les carreaux tournent, je n'ai rien à penser. Terrible solitude, terrible silence. Je suis perdue dans un nulle part, un lieu où personne n'a le droit d'exister, je ne peux pas aller me laver les mains, d'ailleurs je ne le veux pas.

Les cris des enfants m'effraient... Cris révoltés et violents, cris de bête sauvage qui s'est pris la patte dans un piège de braconnier. Ils pleurent aussi, et ils tapent contre les murs pour demander à sortir. Quelquefois, ils se battent, entre eux, jusqu'à ce que l'infirmière vienne les séparer... je ne les connais pas. J'ai croisé, en venant dans ma cellule, des petites jumelles déformées, elles se sont accrochées à mes vêtements comme pour demander quelque chose, et également une grande fille grosse au dos bossu qui me regardait en se balançant, en se grattant les seins. Le soir, lorsque je vais me laver, les couloirs sont vides, silencieux, la gardienne de service inspecte la salle avant que j'y entre, et surveille le chemin, si long, qui mène à ma « chambre ».

C'est le seul moment où je peux regarder mon visage dans un miroir. Il est tout creusé, mais je l'aime bien comme ça, et puis il est maquillé, les grands cernes noirs remplacent le Rimmel, la pâleur la poudre, je préfère le maquillage de mimes et de clowns à celui des femmes des villes. Mes yeux sont légèrement enfoncés et les larmes les ont si bien allongés qu'ils ne sont plus qu'une ligne en haut du visage, tout fins, tout jolis. Mes cheveux noirs sont agressifs et leur couleur s'accorde à celle des lèvres, violettes.

L'eau coule entre mes mains comme un « philtre » réconfortant, j'ai trop chaud, je ne trouve plus d'air dans ce minuscule espace qu'on m'a alloué. Dans cinq minutes, elle va venir me chercher. Je pourrais peut-être l'assommer, et courir vite, très vite, vers l'autre pavillon... Oui, mais où se trouve la porte ? c'est vrai où est-elle ? je voudrais le savoir. Je l'entends approcher, dans une seconde elle sera là. Je marche de mon pas traînant à côté d'elle, je vais lentement pour faire durer ce moment, je ne veux pas retrouver cet étouffement, cette solitude, ce silence... Dans une seconde, elle poussera la porte qu'elle avait laissée entrouverte... elle la fermera à clef derrière moi. Vous entendez ? Alors dites quelque chose !

Talons qui frappent le sol, voix qui s'emmêlent, petite lueur d'espoir qui s'allume dans mes yeux gonflés.

Non, ce n'est pas pour moi, plus rien n'est pour moi désormais, je n'existe plus, enterrée, perdue. Je regarde le haut de la fenêtre dont seul le dernier carreau laisse apercevoir un carré de ciel avec des feuilles d'arbres, les vitres opaques cachent la vue, si réjouissante, d'une cour déserte et grillagée, symbole d'une puissance, d'un emprisonnement méchant, inutile.

Je suis assise au bord du lit, sur son minuscule bord comme si je refusais de profiter de ce privilège qu'ils m'ont donné avec désinvolture, je n'en veux pas, qu'ils les gardent leurs lits blancs, leurs murs jaunes, leurs tables de fer !

Le carrelage me regarde d'en bas, moi penchée vers lui, il m'observe comme si j'étais folle et les draps m'accusent brandissant l'étendard de leur propreté exaspérante. Ces quatre murs crient des mots que je ne comprends pas, je les sens se refermer sur moi comme une camisole inviolable. Oui, je voudrais qu'ils m'écrasent, je voudrais partir, quitter tout, ne plus exister. Je voudrais le néant.

Non, je ne serai même pas condamnée à mort, ma peine sera bien plus pénible : une morte lente, traînant derrière elle cet espoir vain mais inévitable qui vous fait supporter votre incessante souffrance.

J'ai l'impression de ne plus avoir de regard tant mes yeux ont pleuré, et je me moque de ma tristesse parce que je refuse ma propre pitié, je veux seulement crier ma rage et tout détruire. Tout est injustice. J'ai déjà oublié le chemin que l'on m'a fait parcourir pour m'enfermer dans cette chambre, c'est peut-être dommage, j'aurais pu m'évader. Mais non, verrous, clefs, grillages, infirmières, autant de barrières... Je me souviens seulement de regards imperturbables et indifférents, ce regard je le hais, je le tuerai... Il y a une immense rancœur en moi, mêlée à une rage incontrôlable et à une tristesse sans fond, mais ils se dérobent tous. Ce n'est pas possible, je vais éclater, ils m'ont gonflée de révolte et ils ne m'ont pas donné assez de calmants. De quel droit dirigent-ils un hôpital, eux qui ne savent pas doser, équilibrer leurs piqûres ?

Un cri de violence, soudain, déchire mes oreilles, interrompu, repris, plein de haine... Une infirmière appelle un médecin armé d'une seringue... Cris redoublés, leurs sons crèvent les tympans et paralysent d'effroi. J'imagine le lit, les sangles, les renforts de bras... Soudain explosion de rage, grincements de barres traînées contre le carrelage, déploiement de forces inutiles, sursauts désespérés... Silence.

Terrible silence angoissant. Néant. Oubli. Mur. Première mort.

Quel crime ai-je donc commis ? Refuser le monde : crime puni de prison à perpétuité. Ils me manipulent comme un vulgaire ramassis d'os, dénué de toute pensée, de tout sentiment.

Je suis seule. Dehors, le monde est en train de rire, de s'amuser, de parler, je suis seule, seule avec mon corps, qui ne veut rien, qui ne demande rien, sauf de mourir. Mais il résistera. Ils ne me laisseront pas m'évanouir parce que je dois souffrir et m'apercevoir de ma stupidité à m'entêter, à vomir ces gens, ces maisons, cette société contraignante. Mais qu'est-ce qu'ils croient donc, que je vais céder à leur chantage infâme ? Ils n'ont pas l'air de se rendre compte de l'horreur qu'ils provoquent. Ils s'en moquent. Hors de ces murs, de cette prison, personne ne sait ce qu'ils font subir à ces esprits prisonniers, mais les gens en ont tellement peur, ils éprouvent tant de répugnance qu'ils oublient parce que c'est plus simple et plus facile.

Il ne fait pas encore nuit dehors, j'ai peur du silence, j'ai du mal à respirer, je suis restée debout au milieu de la chambre, tout tourne, j'ai l'impression que le sol va s'ouvrir sous moi, où est le lit ? Je ne m'y retrouve pas dans cet appartement si grand... je voudrais parler, crier même pour demander... ma voix s'est desséchée au fond de ma gorge... L'eau, où est-elle ? je voudrais dormir, l'air je ne le trouve plus, ça chavire, comme le carrelage est froid et dur !

C'est l'infirmière de nuit qui m'a trouvée, endormie et glacée, sanglotante d'angoisse et de haine.

15

Il y a la veilleuse bleue au-dessus de la porte, l'unique lumière à laquelle mes yeux gonflés et effrayés peuvent se raccrocher. J'aime le noir. Il protège. Mais justement je ne veux pas être protégée. Je ne sais pas ce que je veux exactement. Elle me donne à boire de l'eau tiède d'hôpital avec un médicament, une pastille blanche. Elle me fait parler un peu pour vérifier si je ne l'ai pas gardée sous la langue. Je la déteste maintenant parce qu'elle est entrée, elle n'a pas fait que passer, et a joué le même jeu que les autres, ceux que moi j'appelle les « vrais fous ». Tous les autres soirs, elle n'était qu'un fantôme, fugitif, elle savait qu'il ne fallait pas entrer. Mais aujourd'hui c'est fini, demain, je n'oublierai pas que c'est elle qui a attendu pour être sûre que le cachet ne reste pas malencontreusement coincé sous la langue. Elle m'a trahie.

C'est encore le bruit de la clef dans la serrure qui m'a réveillée, abrutie par la drogue, la tête lourde comme une pierre, les membres engourdis et le regard méchant. L'aide soignante défait mon lit pourtant tout net, remet des draps propres; elle ne parle pas : une femme de ménage. C'est étrange comme tous les gens ici ont une lueur effrayante dans le regard. J'observe ses jambes « varicées », sous les bas gris et laids. Oui, elle est peut-être vieille et laide, mais, elle, peut se promener dans la rue, rentrer chez elle, et s'asseoir avec un livre de rêves, elle peut aller au cinéma et y rester trois séances de suite; la première fois pour les acteurs, la seconde pour écouter, la troisième pour comprendre... Comment peut-elle faire ce métier? Ça ne lui fait donc rien de croiser ces enfants fous, déformés, de traîner derrière elle cette odeur nauséabonde de folie?

Pourquoi m'ont-ils mise ici, je ne suis pas folle! Je ne tape pas comme une forcenée contre les murs. Mais bien sûr ce n'est pas cela la folie. Seulement, on ne me l'a jamais expliqué, ce sont des choses dont on ne parle pas, les gens en ont peur... Moi aussi, j'en ai peur puisque je ne veux pas qu'on me traite de folle. Ils ne disent rien, mais chacun de leurs gestes s'adresse à une enfant qui ne pourrait plus réfléchir, à une enfant à laquelle on aurait retiré la raison. Ils veulent donc que je me déteste, que je finisse par penser comme eux, que c'est un crime de ne pas avoir faim lorsque les autres dévorent, une folie de les observer avec dédain lorsqu'ils se jettent sur leur assiette comme si c'était la seule chose valable au monde? Eux ne pourraient plus vivre si on les enfermait... Non! Je ne veux pas qu'ils me fassent devenir comme eux, je ne le veux pas! Ils vont se décourager et finiront bien par me jeter dehors.

C'est celle du matin qui est en train d'ouvrir la porte. Je la vois apparaître entre les tartines de pain et le bol de café, un sourire presque ironique sur les lèvres.

« Alors, t'as bien dormi? »

Non, mais elle se fout de moi, de me demander si j'ai bien dormi.

« T'as pas mangé hier soir? C'est marqué sur le carnet. Pourquoi t'as pleuré tant que ça? »

Ils marquent tout ce que je fais maintenant. Quand le docteur passe, il lit : « A été pisser à huit heures dix, a mangé deux grains de riz, s'est levée à trois heures du matin pour aller aux toilettes. » Ça m'a tellement étonnée... Qu'est-ce que je croyais donc? Ridicules, ils sont ridicules, je peux

me moquer d'eux autant que je veux, ils ne pourront jamais savoir ce que je pense.

Je regarde ses yeux plissés et bleus, ils sont
laids, elle a une petite tête mais un gros corps, elle
me fait rire mais c'est elle qui a les clefs, elle me
fait rire mais c'est moi qui suis enfermée... Elle
croit que je vais y toucher à son jus de chaussette
et à ses tartines infectes ? Mon regard se fixe sur
mes mains, la tête baissée et les larmes prêtes à
l'offensive... Je sens qu'elle s'énerve, elle en a assez
de parler pour rien, je ne l'écoute même pas, et
surtout je ne vide jamais les plateaux... Sa voix se
cabre. Elle m'attrape le menton, s'attendrit un
peu puis s'exaspère :

« La chef de clinique va venir te voir aujour-
d'hui, et je t'assure qu'elle n'est pas commode, ça
va mal aller : depuis un mois que t'es là, t'as pas
pris un gramme, tu te moques du monde tu sais !
Alors t'en veux pas de tes tartines ? Tant pis, entê-
te-toi, mais tu sais, tu n'y gagneras rien, tu resteras plus longtemps, c'est tout. »

Elle m'écœure, elle est repoussante, est-ce que
l'homme qui est dans son lit sait ce qu'elle fait
aux enfants errant dans le couloir ? Peut-être que
ça ne le touche même pas, comment peut-il faire
l'amour à cette femme tellement horrible ? Il doit
certainement être masochiste. Peut-être se fait-il
soigner par le docteur qui vient le matin dans le
pavillon des adultes... celui qu'elle lui a conseillé,
présenté...

De nouveau, je suis seule, mais c'est un soulagement. Oui, la solitude est très belle. Je ne veux
plus qu'elles tournent la clef dans la serrure, je
veux qu'elles m'oublient au fond de ce cachot,
qu'elles ne me narguent plus avec leurs plateaux,
leurs paroles. Gardez-le votre monde, vous m'en-

tendez, il est encore trop bien pour vous, je ne l'accepterai jamais, ce n'est pas le vrai, celui-là! laissez-moi! Laissez-moi...

Je ne savais pas encore qu'il existait des gens aussi infâmes, je m'en doutais mais je n'avais jamais eu la permission de les regarder, de poser toute ma haine sur ces déchets. Ainsi ce sont eux qui ont le droit de posséder les gens corps et âmes? Alors ça ne m'étonne pas qu'il y ait tant de fous.

J'espère qu'ils vont au moins me laisser mourir comme je veux... Je sais que la torture consiste à vous faire vivre malgré vous. N'est-ce pas plus terrible que de vous dérober la vie lorsque vous voulez la garder?

Je n'ai pas demandé la vie, je n'en veux plus. Maintenant j'ai le droit de choisir. Je n'y peux rien si ma mère n'a pas utilisé les contraceptifs. C'est normal que je détruise ce que mon « père » et ma « mère » ont créé. Ils disent l'avoir fait pour moi, alors, pourquoi ne me laissent-ils pas choisir maintenant? Ils s'en foutent pas mal de ce que je pense, ils veulent garder leur « chose » et puis ils ne voudraient pas avoir à feindre un chagrin qu'ils n'éprouveraient pas. On accusera les circonstances, l'ingratitude des adolescents, l'inconscience propre à cet âge, mais personne ne croira qu'un parent quel qu'il soit puisse ne rien éprouver envers son enfant.

« T'en fais pas, ça passera! » C'est bien ce qu'ils disent n'est-ce pas? Une prise de conscience ça ne cesse jamais. La mienne ne cessera pas, je ne veux pas devenir comme vous, passifs, idiots, butés. Moi aussi, je suis passive, idiote, terriblement butée, mais dans un autre registre que le vôtre. Je n'ai pas peur de vos phrases, je n'ai pas peur de

19

cette mort que vous redoutez tellement! Regardez-vous trembler devant la menace de cette évidence!

Oui, je sais, vous aussi, vous me méprisez : « Regardez-la, une vraie furie, et dire qu'elle a treize ans seulement! Je ne voudrais pas avoir une fille comme elle! Une vraie garce, elle fait souffrir tout le monde et se révolte en plus! Voilà comment on est récompensé par ses enfants! »

Silence de mort. Rien n'est plus terrible que ce silence. Devant moi des heures interminables, une route infinie que je devine allant jusqu'au bout du ciel et de la terre. C'est horrible de ne même plus pouvoir penser à bouger, à parler, à vivre... J'ai l'impression qu'ils sont parvenus à emprisonner mes pensées dans un étau d'acier et de fonte, cette question éclate en moi comme un défi mêlée à des milliers d'autres, elles se cognent soudain à des mots véritables : « liberté », « prison », « folie », « monde », « interdiction ».

J'entends les cris hystériques des enfants prisonniers, je ne les vois pas, je m'y refuse, je suis stupidement répugnée, non je n'ai rien à voir avec eux : les fous. Mais, moi aussi, je suis folle, c'est pour cela n'est-ce pas... ?

Elle a tourné la clef dans la serrure. Je l'ai vue une fois déjà, je la déteste et en plus elle me fait peur. C'est une grande femme avec une queue de cheval qui ressemble à un sergent et me menace avec ses énormes bottes de cuir et sa sonde nasale. Elle s'assied sur la chaise, moi je me suis ratatinée dans mon coin. Ce doit être elle qui attache les enfants sur les lits pour mieux les calmer, elle qui inscrit sur ses carnets de notes idiots et tellement précis le nombre exact de minutes dont vous disposez pour vous laver le visage. Mais elle ne pourra jamais rien contre moi. Attention, elle va se fâcher... tiens, elle essaie la douceur. Sa voix est un vrai pot de miel. Mais ça non plus ne marche pas.

« Alors, comment tu vas ? »

Qu'est-ce qu'elle veut que je lui réponde, que je me porte à merveille, que cette fabuleuse chambre me convient très bien ?

« Mais très bien, ça ne se voit pas ?

— Qu'est-ce qui ne va pas, hein ? »

Non, je ne vous répondrai pas, je ne veux pas vous parler, je ne dirai rien, vous vous moquez de moi en me demandant cela, je n'en veux pas de votre « aide », gardez-la...

« Alors, tu ne veux pas me répondre ? Les médecins disent que tu ne leur as pas dit un mot. Le nouveau non plus ne te plaît pas ? Réponds ! »

Ça y est, elle commence à s'énerver. Comme ça ne marche pas, elle se radoucit. Elle me prend vraiment pour une débile.

« Alors, pouquoi tu ne me réponds pas ? Veux-tu qu'un autre docteur vienne te voir ? Tu te décideras à parler ?

— Non, je n'ai pas besoin de parler.

— Ne sois pas idiote, tu ne serais pas là sinon.

— Justement. Je ne devrais pas être là.

— Ça suffit, je vais me fâcher. J'ai été trop gentille, ça fait un mois que tu es ici et tu n'as pas grossi d'un gramme. Alors, je vais être très méchante. Si dans une semaine tu pèses toujours le même poids, on te mettra une sonde, que tu le veuilles ou non on ne te demandera pas ton avis. »

Ah ! bon, parce qu'ils me l'ont demandé jusqu'à maintenant !

« Si tu ne veux pas être raisonnable, on le sera pour toi. »

C'est ça qu'ils appellent être raisonnable ? Décidément, ils n'ont aucune notion de la réalité !

« On ne peut pas te laisser mourir, le suicide est encore interdit.

— C'est dommage. »

J'ai vu ses yeux me menacer derrière ses énormes lunettes et son maquillage. On se demande à quoi il sert d'ailleurs. Non, madame, vous ne m'aurez pas, vous n'êtes qu'une vieille fille aigrie, une garce.

« Tu as une semaine pour te rattraper. Je repasserai. Et ne crois pas que je parle en l'air. Je n'en ai pas l'habitude. »

Je m'en fous, je n'en ai rien à foutre, qu'elle s'en aille, espèce de sale bonne femme, ça ne vaut même pas la peine de l'insulter.

Pour mieux me faire réfléchir, elle a affiché sur le mur, en face du lit, une feuille millimétrée avec les dates horizontalement, et les kilos verticalement, elle a noté mon poids avec un énorme point noir, virulent, criard, il agresse mes yeux gonflés que même la lumière irrite, je n'ai pas le courage de crier, je n'ai plus de forces, je ne songe qu'à mourir, et ils m'en ont empêchée, comme si je n'étais pas assez consciente pour connaître moi-même mon propre désir. D'ailleurs, ils s'en moquent bien, mais pourquoi donc veulent-ils que je vive puisqu'ils me haïssent tellement ? Je ne sais pas. Le point noir gâche mon regard.

Je n'en peux plus de pleurer, tout est sec maintenant, sec comme une trique, mes pensées comme mes yeux. Mon regard est fixe, mon esprit vide, vide de tout sauf de cette phrase têtue : « Ils ne m'auront pas. » Je sais que c'est faux, ils finiront par me faire plier, parce que ce sont eux qui ont les clefs, parce que ce sont eux les plus fous. Le monde que je déteste tellement ne vit plus près de moi, mais là, derrière la porte. Il emplit l'atmosphère d'un air fétide et nauséabond qui me donne une envie de vomir incessante. J'entends déjà leurs voix sarcastiques s'écrier : « Tu es bien ici, tu ne fais rien pour en sortir, d'ailleurs, ici au moins, les gens que tu hais tant ne t'agressent plus. » Que répondre ? Je n'ai plus la force de répliquer, je me parle à moi seule, c'est tout ce qu'il me reste.

Je ne l'ai pas entendu entrer, il est là, ses yeux minuscules dissimulés derrière ses lunettes carrées. Lui aussi, il doit avoir des complexes. Il touche presque le plafond avec sa tête, c'est sans doute pour cela qu'il s'assied toujours dès qu'il arrive, à moins qu'il ne soit éreinté par sa visite en salle... Il s'est affalé sur une chaise, les bras croisés, une main soutenant son menton. Une énorme chevelure crépue, une silhouette un peu trop épaisse. A « force de forcer » les gens à manger, il a dû devenir un obsédé de l'assiette. Avec cela, une voix trop douce, mielleuse et des manières qui me paraissent un peu efféminées. Sans doute des tendances homosexuelles, n'est-ce pas monsieur l'interne ?

Il semblait attendre un éclat torrentiel de paroles ou un remerciement timoré, ou des questions pusillanimes ou n'importe quoi d'autre, mais pas ce silence buté. Cependant, il s'arme de patience, d'ailleurs son visage sans énergie n'est que patience exaspérante, qu'attente quiète...

« Alors, comment ça va aujourd'hui ? »

Il me pose cette question comme s'il me connaissait très bien, d'une voix tout à fait sûre, comme si je lui avais toujours répondu. Long silence. Je sais que le geôlier m'observe derrière son mur protecteur comme un animal rare ou un livre interdit. Mais qu'il s'en aille! Avec son air buté et sa tête de débile, il doit être plus fou que ses malades! Il sait très bien que je ne parlerai pas, ça ne marchera pas, il n'y comprend donc rien, lui, le soi-disant savant de l'âme et de l'esprit? Ah! il a vraiment l'air de s'y connaître! Il a dû acheter le correcteur le jour de l'examen. Il est là, derrière ses verres et sa monture grotesque, humilié par mon indifférence mais je ne le regarde pas. Je tiens ma tête entre mes mains et j'observe les myriades de dessins microscopiques qui jouent sur le carrelage comme les pierres criardes des kaléidoscopes d'enfants.

Il peut rester des heures, des jours même, il n'entendra pas ma voix. Au moins, je garderai quelque chose à moi, pour moi. Ils ne m'auront pas tout entière, ils n'auront pas ma voix, ni mes pensées, rien... pourtant ils possèdent déjà mon corps, ma liberté, malgré tout ils accaparent une partie de mon esprit. Il ne saura rien, il n'y a que moi qui peux savoir. Les gens sont tous des traîtres. Même lui, avec son serment d'Hippocrate il s'empressera de tout dévoiler à cette femme horrible et laide que je déteste. Cette femme qui ne fait jamais que semblant. Elle saura tout parce que c'est son « devoir de mère » de m'aider. Des images trop exaspérantes, trop révoltantes, je ne veux plus jamais la voir. Je les déteste tous. Je voudrais les tuer. Leurs visages se mêlent étrangement, des images à la fois très floues et très nettes : ordures fétides, blouses blanches découvrant des jambes variqueuses, badges modestes et laids d'infirmière, boîtes de médicaments, visages exaspérés rageant d'un continuel refus.

Il est sorti en promettant d'un ton rassurant et protecteur une prochaine visite de silence. J'aurais dû le larder de flèchettes, de coups de pied, ou de mots sarcastiques, mais ma colère m'aveuglait trop, j'aurais tout raté, je me serais retrouvée ridicule, tout entière livrée, découverte...

J'ai croisé, dans ce couloir muré, des visages de filles décomposés, ébahis, effrayés, entendu des phrases à la fois banales et terrifiantes. Une énorme fille aux cheveux courts se tripotant les mains sans cesse, se tenant bossue, les pieds en dedans, m'a observée d'un air méchant puis elle s'est mise à pouffer de rire, à s'écrier : « Je veux savoir qui c'est celle-là, je veux savoir qui c'est celle-là, madame, dis-moi qui c'est celle-là. » J'ai eu peur, je n'osais plus bouger, je sentais des coups durs et fulgurants s'abattre entre mes côtes... « Tu es stupide, elle ne te fera rien, tu vois bien qu'elle n'est pas méchante. Après tout, elle n'est pas plus folle que toi qui n'éprouves aucune curiosité pour les gens. » Oui, je sais, mais ses yeux verts et petits, ses mains fortes et blanches... veulent me toucher ! Je me suis enfuie, elle a couru derrière moi en criant sa phrase : « Je veux savoir qui c'est celle-là... »

Je me suis enfermée moi-même, coincée entre le lit et le mur. Le temps de reprendre mon souffle, j'étais épuisée, marcher si vite... !

Qu'est-ce que je peux être ridicule ! Je n'ai plus la force de courir, plus la force de crier, non, je ne veux pas vivre, je n'ai donc pas appris qu'on les blâme ces gens qui ne « profitent » pas de la vie ?

Je suis déjà un cadavre, je me décompose lentement. Même mon esprit commence à m'échapper... Elle essaie d'ouvrir la porte, j'entrevois son visage crispé et rieur... la voix de l'infirmière court avec elle, je devine ses lunettes qui sautent sur son nez et sa poitrine qui doit s'étaler sous sa blouse. Il faut bien que je pense à quelque chose. Pour une fois, elle arrive au bon moment. D'une voix autoritaire, elle chasse ce visage en lame de couteau en lui offrant une énorme tartine de pain. L'effet est radical. Moi, ça m'effraie un peu, je sais que, comme chaque jour, elle va aller chercher un plateau préparé pour quatre personnes, qu'elle va me supplier, tenter de m'attendrir, se fâcher, essayer le chantage, l'amitié, finir par claquer la porte en me laissant au-dessus de mes tartines intactes et de mon café salé de larmes. Dilemme insupportable... Sans aucun doute, je ne sortirai pas tant que je ne pèserai que trente kilos ! Mais je ne peux pas ! Rien que cette odeur m'anéantit, me pique les yeux, me soulève le cœur... Tout est noué en moi.

Ils m'ont dit qu'un mois avait passé. Comment aurais-je pu le savoir, murée je ne connais plus le temps. Ils se sont fâchés en voyant la ligne noire horizontale, en lisant chaque matin le rapport de l'infirmière du soir : « A pleuré. N'a rien mangé. N'a rien dit. A regardé par la fenêtre. » Comment n'ont-ils pas honte ? Moi, j'ai mille fois honte pour eux, je suis meurtrie de honte et de révolte. Ils poussent leur satire burlesque à l'extrême, ils ont des yeux menaçants et se complaisent dans leur chantage dérisoire : « Si tu ne grossis pas d'un kilo, tu ne verras pas ta mère. » Ils sont fous, ils croient donc que je veux la voir, cette geôlière aux yeux d'épervier qui fait semblant de « remplir son devoir » ? Ils croient vraiment que j'espère la voir entrer dans cette chambre, avec son air de chien battu, comme si c'était elle qui avait été enfermée ?

La nuit tombe, la veilleuse bleue reste allumée au-dessus de la porte comme un défi muet. J'aimerais respirer l'air de la cour mais les fenêtres ne s'ouvrent pas, j'aimerais lire mais les livres ont disparu, j'aimerais tant écrire ce que je ressens mais il n'y a rien dans cette chambre qu'une table sans tiroir, un lit tout net, un vide immense et ce coin de ciel qui me provoque.

Elle est revenue prendre le plateau d'un air plein de mépris, elle a claqué la porte et tourné la clef, de nouveau je suis seule, seule avec ce qui reste de moi. Je n'ai plus rien à penser, plus rien à espérer, je dois mourir. Les doses de somnifères sont calculées pour des adultes, elle m'a regardée les avaler et elle m'a parlé pendant dix minutes pour vérifier si je ne les cachais pas sous ma langue. Ce ne sont pas des êtres humains, je ne sais pas comment ils s'appellent, il faudrait que je leur trouve un nom répugnant, plein de vice. Même mes désirs finissent par disparaître, ils m'ont droguée comme une folle, je suis prise dans une camisole, j'ai de la chance de ne pas être née à l'époque des fous étouffés entre deux matelas, ou plutôt je n'ai pas cette chance. Tout à coup, toute volonté disparaît en moi. Tout à coup, une révolte incoercible monte, je voudrais hurler mais je ne le peux pas, je ne sais plus où je suis, tout se mélange, la chambre tourne autour d'un carreau d'hôpital. J'entends la garde de nuit qui vient sur-veiller les rêves des enfants perdus, des enfants qui se sont aperçus de la folie du monde. Je ne peux plus lutter contre leur sale poison... je ne sais plus rien... je...

2

C'ÉTAIT la fin du mois d'août. J'étais partie en vacances avec Sophie une ancienne amie, grave erreur car nous ne nous étions pas vues depuis des mois et elle avait évolué, pendant le temps de notre séparation, entre une sœur qui se prostituait et une mère qui avait vécu trop d'années en Chine pour que le dépaysement ne la rende pas folle : les yeux hagards, les gestes maniaques, elle allait jusqu'à nous battre avec son balai ou dormait toute la journée. Lorsque je suis partie avec Sophie j'étais déjà « malade ». Au bout de quelques jours, elle devint très désagréable, probablement parce qu'elle ne comprenait pas et prenait mon attitude, à l'heure des repas, pour un défi. Un vide s'était établi entre nous que malgré nos concessions nous ne pourrions jamais combler.

L'atmosphère devint vite insupportable. Son père, vis-à-vis de moi, adoptait la meilleure attitude : il restait indifférent. Ce qui n'était pas le cas de l'oncle et de la tante, deux vieux aigris et butés qui faisaient semblant de s'occuper de moi, et prenaient leurs crises à chaque repas. Comment ne pas devenir neurasthénique ? Vidée de toute énergie, susceptible à l'excès, je pleurais à chaque phrase dite sur un ton plus élevé et le vieil oncle les criait toutes. Le soir épuisée, je finissais par m'endormir en larmes à côté de cette fille qui maintenant ne me disait plus un mot et feignait elle aussi l'indifférence. Au réveil, j'avais le visage bouffi, des vertiges piquetés de couleurs, et entre les tempes une terrible barre de douleur et de haine. Pour ne pas détruire la belle tranquillité de leurs vacances, ils faisaient ceux qui ne voyaient rien. Je leur en voulais, et pourtant j'aurais refusé qu'ils s'occupent de moi. Je savais que leur aide n'aurait consisté qu'à me faire avaler de force toutes sortes de nourritures. C'était autre chose que je cherchais, une chose dont je n'avais pas conscience, inconnue, enfouie en moi.

Au bout de huit jours, le père retourna à Paris pour ses affaires et nous laissa avec l'oncle. J'avais des crises de larmes irrépressibles. A moitié étouffée par les draps, je sanglotais angoissée, révoltée et désarmée. Cela ne pouvait plus durer. A la fin de la deuxième semaine, je demandai à son père, de retour pour le week-end, de me ramener avec lui à Paris. Il savait que ma mère était partie en Tunisie, mais je l'assurai que je téléphonerais à ma grand-mère. « Et puis j'étais assez grande pour rester seule une semaine! »

Ma grand-mère fut mécontente que je sois revenue : « Quoi, toute seule! mais qu'est-ce que vont penser les gens ? Ils vont dire que ta mère t'a abandonnée. » Ridicule, d'abord parce qu'il n'y avait personne pour le remarquer, ensuite parce que l'opinion des autres...

Elle insista pour que je vienne manger chez elle au moins une fois par jour. Malgré tous mes stratagèmes pour me défiler, je dus y aller et l'heure des repas continua à être ma hantise; à aiguiser ma rancune envers ce monde incompréhensif. Comme mon grand-père paralysé piquait régulièrement ses colères en regardant mon assiette qui restait pleine, je parvins à convaincre cette vieille femme que ma présence était d'une mauvaise influence sur la santé de son mari. Que c'était plus prudent... Par un malheureux hasard, nous habitions très près, elle tint à m'apporter des provisions, biftecks, légumes, gâteaux, assaisonnés de ses réflexions moralisatrices insupportables. Elle avait de la chance que je n'aie plus toutes mes forces. Que le besoin de vengeance fût en moi autodestructeur. Chacune de ses phrases m'enfonçait davantage, concourait à ma perte; elles me persuadaient que j'avais effectivement bien fait, que l'intolérance des gens est telle qu'ils n'acceptent aucune différence entre vous et eux. Rien n'est admis, on doit suivre leur troupeau, faire tout exactement comme ces robots. Pourquoi donc ne supportent-ils pas que quelqu'un refuse de manger ? ça ne leur retire rien de leur assiette... ça ne les regarde pas... Je les détestais.

Ma mère revint bronzée et incompréhensive, immédiatement après l'atterrissage elle passa chez sa « petite maman » qui la mit au courant de ma santé. Je résistais à leur obsession de la balance, je ne voulais pas qu'elles puissent triompher, m'accabler de leurs : « J'avais raison », je détestais ces affreux machins de pesée, vous ne trouvez pas que c'est laid ? Elles finirent par lire sur cette horrible garce les trente et un kilos accusateurs et estimèrent de leur « devoir » de m'emmener chez le médecin de famille. Je le connaissais, un vieux rabougri qui n'y entendait rien. Je ne voulais pas y aller, je déteste les médecins, les relents d'éther, d'alcool de leur cabinet, leurs

« auscultations », leurs questions. J'ai eu beau pleurer « toutes les larmes de mon corps », elles avaient trop peur de l'opinion du concierge, de son regard accusateur, elles m'y traînèrent.

Le diagnostic fut rassurant pour moi, il ne trouvait rien de grave et souriait en accusant « les maladies imaginaires des grand-mères ». Enfin quelqu'un de sensé! Elles allaient me laisser en paix maintenant que leur devoir était accompli. Elles ne me forcèrent plus à manger mais je devins l'habituée des salons d'attente. Analyses du sang, non, rien d'anormal. « Masseuse pour te décontracter », « Un autre médecin parce que celui-ci est un peu retardé »... Moi, j'attendais renfrognée et coléreuse, on m'y avait presque traînée de force et, bien sûr, il fallait, en plus, que ma « mère » m'y accompagne... comme si je n'étais pas assez sensée pour écouter les prescriptions de ces médecins. Ils m'ordonnaient tous des fortifiants que je jetais dans l'évier. Ils ne comprenaient donc pas que je ne voulais rien? Tous autour de moi devenaient tour à tour pots de miel et boules de nerfs coléreuses. Est-ce qu'ils vous font cela à vous aussi lorsque vous n'avez pas faim?

L'heure des repas était particulièrement insupportable. Cette femme au teint mat, ma « mère », pleurait quelquefois, criait toujours et me révoltait. Elle ne supportait pas ce défi, c'était la preuve que je l'avais bien choisi. Pourquoi resterais-je avec ces gens qui ne comprennent rien? « Tu t'en fiches de me faire de la peine, hein, tu ne penses qu'à toi, ça t'est égal que je n'en dorme pas de la nuit? Réponds au moins! Tu m'entends? Réponds! » « Alors, t'en veux pas? je vais te le faire avaler de force, j'en ai assez de tes caprices!

Mais où vas-tu ? Non, tu ne te lèveras pas avant d'avoir mangé ! Tu m'entends, reste là ! » « Ah ! je vous jure, voilà à quoi ça sert d'avoir des enfants, à vous faire souffrir et ça ne vous adresse même pas la parole ! » Je ne commenterai pas ces phrases, mais ceux qui ne les trouvent pas révoltantes peuvent et même doivent s'arrêter de lire, ils ne comprendraient pas...

Ma mère ne disait rien à personne de peur d'être accusée. Dans l'entreprise où elle travaillait elle se confia, quand même, à l'assistante sociale qui se vantait de mettre de l'ordre dans l'esprit de toutes les secrétaires en difficulté. Celle-ci inévitablement l'envoya chez un psychiatre.

Ils ont tous l'air pontifiants et condescendants : « Ma petite, ce n'est pas le problème, il n'y a qu'une solution c'est de manger. » Je les trouve ridicules, abrités derrière leur bureau et leurs bibelots. Avec leur faux air sérieux, ils posent des questions stupides : « Ce n'est pas un chagrin d'amour, tu sais, t'en verras d'autres... » « Tu t'entends bien avec ta mère ? » « Cela ne te gêne pas que ton père soit parti ? » « Tu te trouvais trop grosse... ? » « Tu aimerais mieux être un garçon ? » Je ne pensais tout de même pas qu'ils pouvaient être aussi maladroits !

Moi, j'avais décidé de jouer l'indifférence. Pendant qu'ils récitaient leurs sermons moralisateurs, je préparais des phrases compliquées pour expliquer que je me trouvais parfaitement normale et que c'était ma mère qui m'avait traînée jusque-là, « bien sûr, je ne mangeais pas beaucoup, mais vous savez, les mères ont toujours tellement peur que... », ça ne marchait ni d'un côté ni de l'autre, moi je refusais de m'expliquer, eux s'embourbaient dans leur morale. Je ne pouvais pas leur dire ces choses qu'ils voulaient tellement savoir. Par elles j'aurais avoué que j'avais besoin de me confier, autrement dit de revenir dans leur infect cabinet. Ça je ne le voulais absolument pas. Au bout d'un nombre assez incroyable d'entretiens exaspérants et inutiles qui me renforçaient toujours davantage dans mon moyen de destruction et mon silence, un de ces éminents messieurs déclara que l'hôpital était la seule solution. Naturellement ma mère ne changea pas d'opinion : ce qu'elle ne pouvait me faire avaler, personne d'autre ne le pourrait. Seulement mon squelette commençait à l'effrayer et elle chercha le nom, l'adresse et se renseigna sur le montant de la consultation du grand psychiatre à la mode. Je ne me révoltais même plus, maintenant d'ailleurs j'en étais incapable, je l'entrevoyais à travers un voile, j'étais perdue dans les vertiges et les tourniquets, je ne savais plus rien, je ne voulais plus rien, sauf qu'on ne me parle surtout pas de nourriture, ce qu'évidemment on ne cessait de faire.

Ce fut un entretien pareil aux autres, seul son verdict final fut intransigeant. Devant l'hésitation de ma mère, le professeur décréta que de toute façon il n'y avait pas le choix, que si je ne me rendais pas à l'hôpital, moi-même, dès le lendemain, on viendrait me chercher, que ma mère serait coupable d'un assassinat si elle me laissait ainsi.

« T'auras une chambre pour toi toute seule, on ne te forcera pas à manger, mais on essaiera de comprendre ce qui t'a amenée à agir ainsi, et tu verras, à ce moment-là, l'appétit reviendra tout seul. Ne t'en fais pas pour tes cours, on a prévu des professeurs. Et surtout n'y pense pas trop, rassure-toi, ça ira tout seul. »

Tout cela dit avec un sourire innocent...

De toute façon, je n'avais effectivement pas le choix, ni même la force de faire une fugue. Et puis, s'il disait la vérité, ça allait être le paradis. Les psychiatres, eux au moins, prendraient en considération l'impossibilité morale dans laquelle je me trouvais de ne pas manger, on me laisserait en paix, on ne parlerait jamais de ce sujet tabou. Merveilleux ! Bien sûr, je n'avais pas entendu parler des hôpitaux psychiatriques et je croyais, tout naturellement, que j'allais dans une clinique avec des malades seulement physiologiques. « Un dépaysement », avait-il dit, enfin, ils ne vont pas me mettre chez les fous, je ne suis pas folle ! Je pensais ainsi parce que ça valait mieux que de me dire qu'ils allaient m'« avoir ». Et puis on ne me laissait pas le choix.

Le soir même, ma mère m'emmena au restaurant avec un de ses bons amis que je détestais catégoriquement. C'est insupportable de voir tous ces plats si bien préparés par un cuisinier qui, depuis des années, y met toute son âme alors que devant tant d'amour vous n'éprouvez qu'une insurmontable nausée. Heureusement, les toilettes sont un refuge reconstituant, mais enfin, on ne peut tout de même pas y rester plus d'un quart d'heure sous peine de se faire traiter d'obsédée sexuelle.

J'avais l'impression que ma mère n'osait pas parler de peur de montrer son indifférence devant cette catastrophe irréparable. « Me voler mon enfant ! » lui disait-elle. « Tu seras raisonnable, me recommandait-elle. Hein, pour sortir vite et ne pas me faire trop de peine ? ça sera encore plus dur pour moi que pour toi... tu le sais bien. » Evidemment, c'est à elle qu'elle pensait, une vraie compétition à qui souffrirait le plus ! En attendant, c'est quand même bizarre, c'est moi qui perdais ma liberté, et c'est elle qui se sentait emprisonnée !

Ce soir-là en m'endormant, je pensai à une tentative d'évasion, mais il était déjà si épuisant d'en rêver. Même plus le courage de les haïr, l'énergie de me révolter, plus rien que des os et un cadavre, enfin, j'étais près du but, pourvu qu'ils me laissent l'atteindre ! De toute façon, ils ne pouvaient rien faire contre ma volonté, et puis à quoi bon y penser, je le saurai demain...

Le parquet vous saute à la tête lorsque vous vous levez. De jolies couleurs devant votre champ visuel qui s'amusent à courir. J'ai rencontré mon frère dans le couloir et je lui ai affirmé d'un air méprisant : « Elle m'emmène à l'hôpital ! » Alors, elle s'est empressée de répliquer d'un air autoritaire et impitoyable : « Allez, viens, traîne pas, je ne céderai pas ! »

Je te déteste.

A travers les vitres de la voiture, je regardais tous ces gens qui pour longtemps encore avaient leur liberté, moi, dans un quart d'heure, je ne saurais même plus ce que signifiait le mot. Je pourrais encore sauter par la portière pendant qu'elle met son clignotant... J'ai mal aux yeux, j'ai envie de pleurer, ainsi elle pourra voir des larmes véritables.

« HOPITAL. PAVILLON DES ENFANTS FOUS. »

3

C'est une sale bâtisse. Pleine de couloirs dans tous les sens. Un bureau d'infirmière qui ressemble à celui des douanes : « Vos papiers ! » Par terre du carrelage, les talons y résonnent comme autant de gifles en plein visage. A partir du second bureau, enfin, j'ai compris. C'est la section des garçons. Membres déformés, visages hagards, cris effrayants. L'infirmière qui nous accompagne ne les regarde même pas, moi, je ne peux plus en détourner les yeux, je devine maintenant, très vaguement, ce qui m'attend. Troisième bureau, c'est le pavillon des filles. L'infirmière me paraît vulgaire, laide et froide comme la pierre. C'est une de ces femmes qui n'a pas plus de quarante ans mais, dans son comportement, elle en affiche au moins cinquante. Elle a des bas opaques et des chaussures de grand-mère qui n'irritent pas les pieds. La psychanalyste vient chercher ma mère et la fait disparaître dans un petit bureau tandis que l'infirmière me fait asseoir dans une salle commune où des fillettes et des adolescentes enfilent des perles et dessinent.

   Moi, je suis en larmes et complètement terrifiée. Là, vous ne la voyez pas cette fille assise près de la porte ? Mais qu'est-ce qu'elle a, à se balancer comme ça ? Ça ne lui donne pas mal au cœur ? Pourquoi ce regard agressif ? Et ces deux jumelles... non ! je ne veux pas qu'elles m'approchent. Non ! empêchez-les de venir me toucher comme ça ! Mais vous ne dites rien ? Je ne veux pas rester ici. Je ne suis pas folle ! Laissez-moi sortir.

Je suis entre ma gardienne et une petite fille très calme, j'essaie de me rassurer : « Mais enfin ils ne me feront rien. » La grosse fille se lève et vient me regarder. Quoi, tu n'as jamais vu quelqu'un de normal, ça t'intrigue ? Elle semble s'être tracé un chemin spécial, elle tourne autour de la table, décrit une boucle, et revient inévitablement près de moi. Elle a une robe à fleurs très courte. Du sang lui coule le long des jambes. Ça m'effraie, m'écœure, je voudrais disparaître sous la table. L'infirmière se moque :

« Regardez-la si c'est pas sensible ! Tu sais, c'est pas ici que ça marche le sentiment ! Attends un peu, tu verras vite que la vie dehors c'était un rêve ! Et toi, tu peux pas demander des serviettes quand t'as tes règles, je te l'ai pourtant déjà dit ! Allez viens, je vais pas te laisser comme ça ! »

Elle est partie, je pourrais peut-être essayer de reprendre le couloir dans l'autre sens... Trop tard ! La psychanalyste vient me chercher. Je n'aime pas son air mielleux. Vous ne m'aurez pas. Non, vous ne m'aurez pas !

Elle me fait entrer dans son minuscule bureau, trois mètres sur trois, neuf mètres carrés, vous rendez-vous compte, tant d'espace perdu ! J'aperçois le fil du magnétophone, elle a besoin d'une mémoire, la sienne ne lui suffit pas, j'ai envie de lui dire : « Votre voix, ce n'est pas la peine de l'enregistrer à moins que vous ne la connaissiez

pas. Parce que la mienne vous ne l'entendrez pas!
Si vous croyez que je vais me taper la tête contre
les murs parce que vous m'avez enfermée ici, ça
serait trop facile effectivement de me prendre
pour une folle! Votre air tranquille, serein, doit
tellement exaspérer les gens qu'ils n'attendent pas
une seconde de plus pour vous jeter leur rage, au
visage et dans votre micro! Mais je ne dirai rien,
ce n'est pas la peine de me poser des questions,
elles sont tellement stupides. »

« Alors, est-ce que tu sais pourquoi tu as fait
cela?

— Fait quoi? Je n'ai rien fait.

— Pourquoi tu refuses la nourriture?

— Non.

— Tu n'as pas une petite idée?

— Non.

— Je suis sûre que si, n'est-ce pas? »

Cela va vite devenir un monologue, le vôtre. Et
puis faites attention de ne pas arriver à la fin de
votre bande. Je ne veux pas parler. Je ne veux pas
que vous sachiez quoi que ce soit de moi. Je refuse
votre aide. Je ne suis pas malade et vous le savez,
c'est pour ça que je n'ai pas besoin de vous parler.

— ...

— Ça t'a rien fait quand ton père est parti?

— ...

— Et ta mère, qu'est-ce qu'elle a fait? comment
elle a réagi?

— ...

— Tu sortais beaucoup?

— ...

— Pourquoi étais-tu si renfermée? Ta mère m'a
dit que tu ne lui parlais jamais et t'enfermais toujours seule dans ta chambre avec des livres?

— ...

— Pourquoi ne cherchais-tu pas des amis, des copains ?

— ...

— Tu n'avais pas de petit ami ? »

Entre nous, un long silence. Elle en a assez, cela se voit, de poser des questions au mur. Je regarde le carrelage en pleurant. Son calme m'exaspère, je pourrais lui taper dessus elle continuerait à sourire. Vous ne m'aurez pas, ce n'est pas vous qui me soignerez, je ne veux rien devoir à personne, vous ne m'aurez pas, personne ne m'aura !

« Tu ne veux pas parler ? Ce n'est pas grave, c'est normal le premier jour. »

Je ne vous dirai rien, ni aujourd'hui, ni demain, ni jamais ! Porte de prison, espèce de geôlière, je vous trouve méprisable, je vous déteste, vous ressemblez à une sale vipère, je vous écraserai. Moi aussi, je me vengerai !

« Je reviendrai te voir dans quelques jours. D'ici là, tu auras eu le temps de réfléchir. Au fait, tu resteras dans ta chambre en pyjama, tu n'auras pas le droit de lire ni de faire quoi que ce soit, juste te reposer. Quand tu auras pris un peu de poids, on verra, mais pour le moment c'est comme ça, d'accord ? »

Bien sûr que non, qu'est-ce que vous voulez que je vous réponde, que votre bagne me convient à merveille ? Vos kilos je n'en veux pas, je ne prendrai pas de poids. Je suis bien comme ça et j'en ai rien à foutre de votre bouffe, vous pouvez la garder !

L'infirmière m'a montré ma chambre et a tourné la clef dans la serrure. C'est impossible ! Ils n'ont pas le droit de faire ça, ils n'ont pas le droit. Pourquoi ne me laissent-ils pas mourir en paix ? je ne les gêne pas, je ne leur ai rien fait, et ils m'ont enfermée à clef, comme si j'avais tué. Ici il n'y a personne pour m'entendre, je suis seule. Seule pour des siècles. Ils vont me forcer à vivre dans cette prison pendant des siècles, vous entendez? des siècles!

Je me suis écroulée : une ruine de larmes, je vais étouffer de sanglots, je le voudrais! Comme ça, ils ne m'auraient pas!

J'ai cherché dans le sac, que j'avais apporté, mes livres minutieusement choisis, je devrais les trouver. Ils les ont pris! Mais pourquoi? Qu'est-ce que ça peut leur faire que je lise? Ils n'avaient pas le droit de me les enlever. Ils ont fouillé dans mes affaires! Ils ne m'ont laissé que mon pyjama! J'ai envie de casser cette fenêtre aux carreaux opaques, je ne peux même pas voir ce qu'il y a dehors, ils sont horribles, inhumains... jamais je ne trouverai le mot exact! Il n'existe pas!

Je me suis réfugiée à la tête du lit, dans un minuscule espace, le plus petit possible, je n'en veux pas de leur sale pieu! Mes yeux me font mal, ils peuvent à peine s'ouvrir, tout rentrés sous mes paupières bouffies. Ça n'a pas d'importance, je n'ai rien à regarder sauf les murs et je les hais.

S'ils croient m'avoir avec leur prison! D'ailleurs, qu'est-ce qu'ils peuvent faire si je ne veux pas les rejoindre, ces cons? Cette société, ce con de monde, cette conne de raison, cette conne de vie! Ils ne peuvent rien faire, ils finiront bien par comprendre que c'est inutile de m'enfermer! Ils apprendront que je suis encore plus entêtée qu'eux dans ma stupidité! ce sont eux qui sont stupides. Vous vous rendez compte comme ils l'aiment leur garce de vie, ils sont prêts à donner n'importe quoi pour continuer à vivre! Et pour vivre quoi? leur sale bouffe, leur sale baise. Pour établir leur sale puissance, celle de leurs docteurs, de leurs directeurs! Ils jouent avec leurs petites autos, c'est amusant de les conduire, tourner à gauche, boum! accident : « Cent mille francs à la banque, monsieur! » Celui-là, on l'enferme parce qu'il n'a pas payé. « Vous serez relâché quand vous aurez gagné de l'argent. » Mais comment peut-il en gagner puisque vous l'avez mis en prison? « Il n'a qu'à vendre ses cigarettes! »

Comment voulez-vous que je reprenne goût à la vie, comme vous dites, si vous m'enfermez dans un cachot? Je n'aurai plus qu'une envie : mourir le plus vite possible! « Mais non, puisque vous pouvez en sortir si vous le désirez, il suffit pour cela d'un petit effort de votre part, manger ce n'est tout de même pas tellement difficile! » Ils n'y comprendront jamais rien! ils veulent m'imposer leurs règles de vie! Ils ne veulent pas me laisser le choix!

Attendez un peu que ce soit moi qui aie les dés, on vous enfermera en prison pour chantage! Attendez un peu, faites bien attention, vous êtes sûr de vouloir rester sur cette case, vous ne vous plaindrez pas ensuite, vous ne m'accuserez pas d'avoir triché? D'ailleurs, dans une minute il sera trop tard, les jeux sont terminés.

Non, ce ne sera jamais mon tour de jouer. Ils se garderont bien de me laisser une chance d'évasion, ils veulent conserver leur réputation et leur orgueil intacts. Moi aussi je veux les garder intacts, mais ce sont eux qui me provoquent, eux qui m'attaquent comme si j'avais tué toute leur famille! Je demande seulement qu'on me laisse tranquille, on n'avait pas le droit de me mentir comme ça : « On te laissera en paix, on te forcera pas! » Ils ont osé l'affirmer!

Trois ans de prison ferme. Si j'étais le juge, c'est ce que je leur donnerais! Tous ces gens dehors, savent-ils qu'on peut enfermer n'importe qui comme ça? Sans leur demander leur avis, juste parce qu'ils sont un peu dépressifs, un peu complexés... « Vous, vous mangez trop, ça doit venir d'une frustration qui remonte très loin. Votre mère ne vous a jamais empêché de manger quelque chose que vous désiriez très fort? Vous, vous êtes trop seul, inaptitude à s'intégrer dans la société. Ne vous en faites pas, on va vous enfermer une petite année et ça va s'arranger, vous communiquerez plus facilement... avec les murs! Vous, par contre, vous êtes trop expansif. Si on vous laisse dans cet état, il vous posera des problèmes et vous serez perdu! »

Au Moyen Age, on m'aurait accusée de sorcellerie et fait brûler sur un bûcher. Quelle chance, j'aurais eu ce que je cherchais et je n'aurais souffert que peu de temps, à côté de ce qui m'attend!

Allons, ne vous prenez-vous pas un peu trop au sérieux, mademoiselle? Il y en a des milliers de gens enfermés dans des cachots depuis plus longtemps que vous! D'ailleurs, on vous avait prévenue. Il ne tenait qu'à vous d'éviter d'être ici. Non, ce n'est pas vrai! Tais-toi sale voix! Tu ne te montres même pas, tu es trop hypocrite, sale putain! Mais qu'est-ce que ça peut te faire ce que je mange, ce ne sont pas tes affaires! Peut-être avons-nous tous un petit cadran avec un seuil d'abstinence à ne pas dépasser, sinon on est anormal? et ça fait une mauvaise impression sur les habitants de l'autre planète? Est-ce cela? Ah! Tu ne veux pas me répondre? Réponds! le même cri! le même que celui de tous ces psy. Non, je ne suis pas comme eux, non, je ne veux pas dire les mêmes mots! Je me tairai, je ne parlerai jamais, je ne veux pas utiliser le même langage, je ne suis pas de leur monde, je préfère me tuer. Oui, c'est ce que je vais faire parce qu'ils m'ont inscrite sur la liste!

« Oh! mais ce n'est pas la peine de pleurer, ça ne te sert à rien. Tiens, mange, ça sera plus utile, après tu n'auras plus de raison de pleurer. »

Je ne l'ai même pas entendue tourner la clef cette gardienne! Pourtant je ne faisais pas de bruit! Peut-être ont-ils des caméras. Ils m'ont volé mes billets pour les acheter! Ils m'ont pris tous mes livres quand ils m'ont mise en prison! Si elle croit que je vais manger! Elle me prend pour qui? Je n'en veux pas de votre sale plateau, je ne viendrai même pas m'asseoir sur votre sale chaise. Vous avez oublié d'apporter la camisole, attention, on pourrait vous enfermer pour ça! Vous allez me forcer à venir? C'est ce qu'on va voir... Evidemment, vous êtes une lâche. Vous ne vous battez que contre les plus faibles! De toute façon, ce n'est pas parce que je suis assise que je vais manger. Ça m'écœure. C'est infect. Vous entendez, ça sent mauvais! C'est ça que vous leur donnez aux autres enfants? Ça ne m'étonne pas qu'ils soient fous! Vous tenez à les garder? Vous voulez me rendre folle pour me placer à côté d'eux, vos objets de collection?

« Allez, fais pas ta tête, regarde cette tranche de melon, je suis sûre que tu en as envie...

— Vous devinez mal. Je n'en veux pas.

— Je ne te dis trop rien parce que c'est le premier jour, mais si tu continues comme ça je vais me fâcher! Et puis, tu sais, tu n'y gagneras pas, plus vite tu mangeras, plus vite tu sortiras. Mais si tu ne fais pas d'effort, c'est que tu veux rester ici ! »

Votre corruption m'empêche de parler ! cela vaut mieux, je me rendrais ridicule. Oh ! non, je ne me traînerai pas par terre pour vous supplier de me laisser sortir, je vois votre sourire ironique et satisfait, déjà il se dessine sur vos lèvres ! Et puis ce serait facile de m'accuser d'un autre crime de folie ! Bouffez-le votre plateau puisque vous m'en vantez tellement les mérites, vous deviendrez encore plus grosse, ça ne vous gênera pas, au point où vous en êtes !

« Je te laisse seule un moment. Essaie quand même de faire un effort ! »

Non, je ne veux pas en faire, je veux rester comme j'ai voulu être. Plus jamais je ne toucherai à votre sale bouffe ! Vous faites ce métier parce que vous êtes laide, vous vous vengez de la nature sur des plus faibles que vous ! Remarquez qu'on n'a pas beaucoup de mal ! Pourquoi avez-vous la tête rasée ? Vous avez été en prison avant de venir soigner ou plutôt martyriser les fous ? Je déteste vos petits yeux bleus et méchants, votre visage minuscule.

Je ne peux même pas jeter son plateau à la poubelle ! Dommage ! Je reviens me coller à la barre de fer du lit. Elle a pris la précaution de fermer à clef, en deux minutes, on peut tenter de se sauver. On ne sait jamais vous savez avec ces enfants ! Je ne veux plus pleurer, vous n'en valez pas la peine. Pourtant, cette fenêtre... derrière, il y a peut-être la rue. Non, ils l'isolent le... pavillon des enfants fous.

J'ai deux grosses boules de chatouillis au-dessus des yeux, une terrible lassitude. Je ne m'endormirai pas sur « leur » lit. Ce soir j'y serai bien obligée et puis le sommeil, c'est un peu une sorte de vide... Pourquoi croient-ils toujours que c'est de la faute d'une chose très précise? Un peu comme si « cette maladie » était une crise de larmes. « Pourquoi pleures-tu ma petite? C'est parce que ton papa est parti? C'est parce que ta maman est partie sans toi en vacances? C'est parce que tu ne trouves pas d'ami? C'est parce que... tu ne te plais pas? Allons, aide-moi à trouver, si tu ne m'aides pas, je ne trouverai jamais, en plus je suis sûre que c'est tout bête, quelque chose qui n'en vaut pas la peine! Tu sais, tu en verras d'autres dans la vie, s'il fallait se laisser tomber malade à la moindre contrariété, il n'y aurait plus personne! » Elle ne risque pas de comprendre cette poupée doctoresse, ni cette poupée infirmière, je ne joue plus aux poupées depuis longtemps, vous arrivez trop tard!

« C'est parce que ton papa et ta maman ne s'entendaient pas?

— Gna, gnan, gnan, gnan?

— Gna, gna, gna, gna, gna, gna? »

Je n'en sais rien, espèce de con! en tout cas, je ne tenterai jamais de vous l'expliquer. Il n'y a qu'à moi que je peux essayer. Après tout, j'en ai rien à foutre, ça me plairait quand même de savoir, mais c'est moi qui trouverai; vous ne l'inscrirez pas dans votre dossier, non, il n'y a que moi que ça regarde! Je le saurai! Mais je ne vous le dirai jamais! Vous ferez semblant de gagner mais ce sera faux. Vous aviez prévu cela aussi, hein, on n'aura même pas besoin de la soigner, elle fera le travail toute seule et c'est nous que l'on remerciera! Mais vous me prenez pour une imbécile, je l'ai toujours su et plus je le sais plus je trouve que j'ai raison de ne pas me laisser tromper par votre sale monde!

Il y a juste une minute, je voulais encore le cacher. Devant tous ces imbéciles, je me forçais à faire semblant... Mais tout va bien, monsieur le docteur, je ne me suis jamais sentie aussi bien, oui, je suis un peu triste, mais vous ne l'êtes jamais, vous?

Je l'ai toujours su et vous aussi : « Ça la soulagera de parler », disiez-vous. Mais bien sûr, je me parlerai à moi-même. Je n'aime par leur ville, je ne les aime pas. Tous ces gens qui passent et ne s'arrêtent jamais, ces gens qui ont le pouvoir, et qui ont voulu ma présence. Ils l'ont voulue et c'est pour ça que je suis là! « Vous êtes à nous », oui, et je prostitue mes pensées, mes pas, mes volontés! Chaque geste, chaque parole, chaque attitude me crie : « Tu es à nous, tu ne peux rien faire! » « Regardez-la. Triste, renfermée, secrète... Ne t'en fais pas, on est tous passés par là... » Espèce de con, je te déteste! « Allez, viens, abandonne cet air mélancolique, viens, je t'emmène boire un thé et manger des gâteaux. » Comme aux enfants, hein? « Tu pleures? Tiens, tu aimes les sucettes? » Et voilà, comme c'est facile! Je leur dis merde à vos gâteaux, vous m'entendez? ça ne vous plaît pas que je sois triste? Et si cela me plaît à moi? Vous voyez bien que je peux m'échapper, que je ne suis pas à vous! Vous ne pouvez pas m'obliger à rire, non, ça vous ne le pourrez pas. Je veux vous montrer que je suis là contre mon gré et que je méprise votre monde de futilités! D'ailleurs, si je ne voulais pas manger, vous ne pourriez rien faire. Et ça vous agacerait énormément de voir que je peux vivre sans ça, hein? Sans ce « ça » auquel vous pensez tout le temps? « Elle n'est pas comme nous, elle reste toujours triste, elle ne veut pas manger. Elle s'est trompée de porte en entrant, c'est dans un autre monde qu'elle aurait dû aller... » Maintenant qu'ils s'en sont aperçus, ils ne l'admettent pas, ils veulent que je devienne comme eux, que je fasse au moins semblant... « Vous verrez, on la fera céder, non mais, c'est pas une môme comme ça qui va nous emmerder. » Je ne vous emmerde pas, je ne vous fais rien ! Attendez un peu que je sois plus vieille et vous verrez, je me vengerai de tout ce que vous me faites. Ma vengeance ne sera pas comme la vôtre lâche, hypocrite, violente ! Vos films de cow-boys à la télé font toujours gagner le courageux, le téméraire vous en êtes loin. Vous ne savez même pas faire la comparaison. Vraiment, vous ne valez pas la peine. Non, merci. Je n'en veux pas.

Regardez-les, ils s'énervent devant mon indifférence : « Tu vas le manger, tu vas le manger, oui ? Mange-le ou je te donne une gifle... Tu la veux, dis, tu la veux, réponds, sale môme, tu vas le manger ? »

Bouffe-le toi-même, espèce de sadique, moi, je ne t'oblige pas à t'exciter, ça doit te plaire. Tu peux te défouler. Tu peux me gifler. Je m'en moque. Je n'ai pas peur de tes menaces. Ce n'est pas toi qui m'auras ! Je ne sais pas. Ce n'est peut-être pas la véritable raison, ça vient de passer là, entre la table de nuit argentée et les barres blanches du lit.

Personne ne peut rien contre moi, je ne veux rien leur devoir, même pas les promenades de clochard à travers une ville irréelle, même pas mes satisfactions si rapides, leur horreur ne les vaut pas !

Je touche le fer, il est froid, et il est lisse. Je

n'aime pas le fer. Oui, ils sont faits de fer. Je préfère la pierre, et leurs murs sont de béton.

Vous connaissez l'Angleterre ? C'est froid, l'Angleterre. Les gens sont des bourgeois là-bas; les gens sont glacials là-bas. C'est là que je suis partie, il n'y a pas si longtemps. Ils vous envoient comme ça, chez des gens que vous ne connaissez même pas, vous pouvez tomber sur des fous ou sur des inconditionnels de la libre communication, ou même sur des enfants sadiques, tout ça sous le prétexte de vous apprendre l'anglais ! Mais leur froideur vous empêche de prononcer un mot et puis ils trouvent tout incorrect ces gens-là. Par exemple dire à quelqu'un dans la rue que vous avez envie de lui parler ou préférer rester au lit que d'aller au collège avec cette oie... Comment veulent-ils que j'apprenne à parler, ils prennent mes fautes de grammaire pour de l'incorrection et ne les corrigent même pas ! Oh ! je pourrais vous réciter par cœur les confidences du collège. Mais ce n'est pas très intéressant. Pourquoi je pense à ces imbéciles d'« Anglo-Saxons »...? Cela passait là, entre les interstices du carrelage...

Ils font faire la sieste aux enfants fous. Je n'entends rien. C'est un jeu de foire. Ils ont fermé la porte, fait tourner la boule et, maintenant ils vont me laisser sortir. Quel effet cela vous a fait ? Amusant, n'est-ce pas ? C'est trois francs. Le radiateur aussi est grillagé avec un treillage gris. Probablement pour vous protéger des bouts coupants des tuyaux, vous savez, avec ces enfants... Non, c'est trop douloureux de se suicider comme cela. Il faudrait que je garde, pendant au moins un mois, les somnifères qu'ils vont certainement me donner le soir. Non, ils les découvriraient avant que je sois morte, ils enlèveraient le poison de l'estomac et m'appliqueraient un double traitement... je serais bien avancée... ça vaudrait peut-être la peine d'essayer, au point où j'en suis...

J'ai distingué des bruits de pas dans le couloir et une voix inconnue.

« Chut ! Maintenant il y a une fille qui se repose dans cette chambre. Alors tu ne fais pas de bruit quand tu passes devant, elle est très fatiguée, elle ne doit rien entendre... Tais-toi, sinon je t'enferme dans une chambre, tu as compris ?

— Non, je ne veux pas que vous enfermiez Isabelle, s'il te plaît, madame, je ne veux pas que vous enfermiez Isabelle.

— Alors tais-toi. Allez, va-t'en ! »

Quelle sollicitude ! Je dois me reposer... mais je ne veux pas me reposer. Ici, je ne le peux pas et ils le savent ! Je m'en moque, ils ne m'auront pas. Ils ne peuvent plus rien me faire, ils m'ont déjà enfermée.

Vous ne m'entendrez pas supplier : s'il te plaît, madame... ça vous excite n'est-ce pas ? C'est vous qui auriez besoin de vous faire soigner, espèce de débile mentale irrécupérable ! Je ne vais tout de même pas user mes dernières forces à les insulter ! Ils n'en valent pas la peine ! J'ai entendu la clef tourner dans la serrure. Ce bruit discret, tout mignon, c'est la sonnerie d'alarme, le déclic de la rancune, des insultes, du découragement aussi. Mais est-ce que je ne vais pas finir par l'attendre, par l'espérer, ce petit grincement qui annonce une présence, et quelle présence ! Je préfère le mur à cette nouvelle infirmière menaçante, au moins, lui, il a la décence de se taire ! Elle vient me dire bonjour. C'est trop gentil !

« Je suis l'infirmière du soir. C'est moi qui m'occuperai de toi. Je suis venue te dire bonjour parce que je sais que tu dois t'ennuyer. Ce n'est pas marrant d'être enfermée toute seule. Mais ça ne tient qu'à toi, tu as l'air intelligente, tu t'en sortiras vite. Je te laisse parce que normalement je n'avais pas le droit de venir, les docteurs l'ont interdit. Je t'apporterai à goûter tout à l'heure. »

Je suis la gardienne de prison du soir, c'est moi qui donne à manger aux criminels, si tu es sage tu auras un sursis, ça ne tient qu'à toi. Moi, ma ruse pour vous faire céder, c'est la gentillesse, ça marche parce que les prisonniers sont en général tellement traumatisés par l'accueil qui leur est fait ici qu'ils m'aiment tout de suite. Il y en a même qui préfèrent me parler à moi plutôt qu'au docteur. Et tout ça pourquoi, hein ? Parce que je suis gentille. La gentillesse, on devrait s'en servir plus souvent comme d'une arme, elle est très efficace.

Toi non plus tu ne m'auras pas. Si tu crois que ta tentative de séduction marche sur moi, tu te trompes. Je ne suis pas aussi con que tous tes fous, que toutes tes petites filles folles, je ne risque pas de te dire un mot !

Elle m'a laissée seule avec ma rage et la promesse d'une gentillesse sans bornes. Je suis bien avancée avec ces belles paroles. Elle peut les garder pour ces deux jumelles trop atteintes, on verra si ça marche, comme elle dit. Je crois qu'avec la violence on a plus de chances de parvenir à son but. Eux, comme ils n'ont aucun avis, ils essaient la gentillesse dans la violence, cela donne une prison et un bagne, une maison de correction et un hôpital psychiatrique.

4

J'ai dû tuer un de mes parents dans un moment de lucidité, ce qu'eux appellent moment de l'inconscient. Vous savez bien, c'est l'inconscient personnel profond. C'est une des formes de l'inconscient normal qui comprend le passé dans sa partie qui échappe au conscient. Quoi, vous ne saviez pas cela, mais vous êtes inculte! (J'ai copié dans un bouquin, alors si vous vous y connaissez, ne soyez pas trop sévère, après tout, cet acte fait peut-être partie du préconscient, subconscient, inconscient familial, collectif ou pathologique, je n'en sais rien, je commence juste à m'initier à la philosophie, vous comprenez, ça fait sérieux de parler de ces choses auxquelles ils feignent tous de s'intéresser alors qu'ils n'y comprennent rien.) D'ailleurs, ils ne se sont pas encore décidés : l'analyse existentielle ou la théorie psychanalytique de Freud? Ils sont en train de réfléchir. Ne soyez pas pressés, ça demande du temps, qu'est-ce que vous croyez? Ce n'est pas si simple.

Mais au fait, lequel des deux ai-je tué? ça ne peut pas être mon père puisqu'il y a quatre mois que je ne l'ai pas vu. Remarquez, la justice n'est jamais pressée pour vous inculper ni pour rendre son verdict, et puis si je ne l'ai pas vu, n'est-ce pas justement parce que je l'ai tué... Ce n'est pas possible, il m'a envoyé des lettres... Non, ce doit être ma mère... oui, le jour où elle a découvert ces photos, ces billets d'avion... En faisant le ménage elle a fouillé par inadvertance dans les affaires de son très fidèle mari, et elle a découvert les preuves irréfutables d'une liaison honteuse...

« Vous vous rendez compte, avec une sale bonniche, illettrée par-dessus le marché ! Une fille de quinze ans plus jeune ! Elle faisait le ménage chez nous il y a sept ans ! ça dure depuis sept ans cette infamie ! Il va m'entendre ! Dire que j'aurais pu partir au Canada, sa maison lui avait bien donné un billet d'avion pour moi ! Mais non, il préfère emmener sa maîtresse que sa femme ! »

Moi, je trouve ça normal, vous aimez mieux partir en vacances avec votre « petite maman » ou avec votre petite amie ? C'est évident !

Sa colère m'échappait, elle savait parfaitement que les voyages d'affaires... sans feuille de paie... les nuits entières passées dehors pour un paquet de cigarettes : « J'ai dû faire le tour de Paris, ma chérie, les tabacs sont tous fermés à cette heure, oh ! oui, j'ai bu un verre ou deux »... les rendez-vous d'affaires les samedis après-midi... les fins de mois récalcitrantes. Cela trompe qui ? Même pas les femmes éperdues d'amour... et elle était loin de l'être, même très loin...

« Espèce de salaud, tu sors le soir dans les boîtes de nuit alors que j'ai cinq francs pour faire les courses ! »

Peut-être aurait-elle préféré que ce soient des putains...

« Oh ! tu sais, ce n'est jamais la même, ce n'est pas important, tu sais bien que tu es la seule qui compte, ce ne sont que des filles de mauvaise vie, il ne peut rien y avoir entre nous, enfin... que... le sexe... »

Peut-être aurait-elle préféré que ce fût un homme, une de ces vieilles tantes qui à cinquante ans vivent encore avec leur mère... Comme celui qui vient dîner quelquefois en toute tranquillité. Cela ne l'atteindrait pas dans son orgueil féminin. Après tout ce ne serait qu'une histoire d'homosexuel, elle y était préparée. Mais une liaison avec une femme! une véritable liaison! et qui dure depuis sept ans!

« Non, c'en est trop! Et dire qu'il a osé prendre son fils avec lui et cette petite putain! Heureusement qu'il n'a pas emmené sa fille! Elle est plus jeune, plus vulnérable...! S'il avait eu deux places de plus, on ne sait jamais, il aurait peut-être eu le culot de me faire partir avec elle! Toute sa grande famille! »

Moi, plus jeune, plus vulnérable, je riais bien : je la connaissais cette fille, j'étais partie en Belgique avec elle et mon père pour un de ces « voyages d'affaires ». « Non, ne t'en fais pas, Valérie n'est pas comme ça, elle ne dira rien... »

Elle est hypocrite, aveugle, névrosée et sans énergie. Lui est traître, menteur, schizophrène, obsédé sexuel, frustré... je ne vous dirai pas tout, il y en a trop, ça me fait peur.

Ma mère n'a pas passé l'époque de sa déception d'adolescente : un amour contrarié. En plus elle a été traumatisée par sa maman qui lui répétait qu'elle était une bonne à rien, qu'elle était laide, paresseuse, et que jamais elle ne saurait séduire les hommes. Elle la rendait responsable d'être restée paralysée d'une jambe après son accouchement. « Tu seras toujours une moins que rien... »

Le résultat : elle s'est jetée dans les bras « virils » (une simple erreur de qualificatif !) du premier amant disponible et a pondu deux affreux petits bébés... Dont « moi ». Après le mariage bien entendu : sa mère lui avait formellement défendu de caresser les « seins » d'un monsieur sans qu'au préalable celui-ci lui ait passé l'horrible maillon de la chaîne qu'ils appellent respectueusement une « alliance ».

Vous imaginez ce qu'il est arrivé après tous « ces traumatismes infantiles qui ont façonné sa manière d'être au monde et de vivre, sa personnalité ou plus exactement sa conscience puisqu'ils ont influé sur sa manière de percevoir, de juger ou d'imaginer » (ouf !) comme le dit Sartre dans *L'Etre et le Néant*.

Passons au père maintenant : il a été élevé chez les jésuites, il était perdu d'avance, et occasionnellement par une mère veuve qui avait la passion des jeunes garçons.

« Ton pauvre père, il a été emmené par la Gestapo; ils l'ont fait mourir dans un bain d'eau glacée... Comme tu as la peau douce, mon petit chéri, de la vraie soie, tu as de la chance d'être jeune, laisse-moi te toucher. Non, pas ça, tu sais bien que je t'ai interdit de toucher ça, même s'il te chatouille. Fais voir comme il est... pas mal, il faut encore que tu grandisses pour que ça devienne amusant... »

« Je t'avais prévenu, je ne veux pas que tu rentres après dix heures, j'ai fermé au verrou pour t'apprendre à m'obéir. Qu'est-ce que tu as fait ? Raconte ! Tu as été chez une fille ? Comment était-elle ? elle était belle au moins ? Je te préviens, je ne veux pas que mon fils choisisse des laiderons, je ne le supporterais pas, tu m'as bien compris ?

Alors raconte! Qu'est-ce que vous avez fait tous les deux tout seuls?... »

Que répondre quand vous sortez de chez un garçon? Qu'il avait de beaux seins? Tout plats, tout mignons? « Remarque, maman, je pourrais te le présenter, il te plairait peut-être. Tu sais, il ne refusera pas ça à la mère de son amant!... C'est bien gentil, mais il faudrait quand même que je me marie. Les gens n'aiment pas tellement travailler avec des " coupables d'homosexualité "... Bien que pour le métier que j'aimerais exercer... Je voudrais être peintre... (Il est sans talent mais ces envies-là n'ont pas besoin de talent, seulement d'un estomac qui supporte le vide.) Evidemment, ma maman m'a obligé à faire E.S.S.E.C... ça ne m'a pas beaucoup appris à dessiner... Voilà, maintenant tout est correct, j'ai trouvé la femme d'intérieur parfaite, en plus elle ne s'apercevra jamais de rien. Quand nous aurons fabriqué de beaux petits bébés, ce sera parfait aux yeux des gens... C'est facile... »

Ce n'est pas très drôle de faire l'éloge de ses parents. D'ailleurs, je ne voulais que m'amuser de la colère de ma mère parvenue à son apogée lorsqu'elle a trouvé les billets d'avions pour la Grèce.

« Quoi! Ce chantier au mois de mai, c'était ça, un voyage en Grèce! Et dire que moi je ne pars même pas en vacances. Un voyage en Grèce pour une pouffiasse pareille, t'es d'accord toi? »

Oh! moi! je trouve ça drôle, ridicule, mesquin, idiot, futile, d'un côté comme de l'autre. Ils pourraient avoir au moins la pudeur de régler leurs comptes entre eux. Leurs salades je m'en moque. C'est à ce moment-là que j'ai dû la poignarder, que j'aurais dû... Mais je ne m'en souviens pas. Je m'étais peut-être hypnotisée pour être sûre de ne pas flancher au dernier moment... Prémédité en plus, au moins quinze ans... Je sortirai quand j'en aurai trente...

Elle a tourné la clef dans la serrure. Elle est entrée avec son assiette de petits gâteaux. Non, des gros gâteaux. Elle a eu une légère grimace devant mon refus et a retourné la clef dans l'autre sens. Elle est vieille. Au moins cinquante ans, une voix trop douce. Ah! oui, vraiment trop! Des cheveux courts (ce n'est pas propre la poussière), un corps d'homme robuste. Mais avec les blouses, on a des surprises quelquefois. Vous croyez que je vais manger tout ce que mangent ces enfants fous? Mais cesse donc de dire : ces enfants fous, tu en fais partie, tu es folle toi aussi, sinon tu ne serais pas là. Tu entends, tu es folle, tu entends, folle, f,o,l,l,e.

Non, ce n'est pas vrai. Vous aussi vous êtes un menteur, je ne vous crois pas! Et puis en réalité quelle importance, mon orgueil s'est déplacé, ils peuvent me traiter de ce qu'ils veulent, leur opinion m'indiffère. En plus, ce n'est même pas vrai, mais je fais semblant de le croire. C'est impossible, je n'irai pas plus loin si je remets tout en question au fur et à mesure. Je ne peux plus rien considérer, tout est faussé. Ils ne m'indiffèrent pas du tout. Je les déteste. Je les hais. Je ne peux pas les ignorer. Sinon je gagnerais. Mais c'est trop dur, je n'arriverais même pas à la simuler cette indifférence, à leur faire comprendre que pour moi ils ne représentent que des lits d'hôpitaux, blancs et laids, repoussants et perfides...

Vous le voyez celui-là, le mien. Regardez son air malsain, il sait que vous allez venir vers lui, il vous aura, et vous ne pourrez rien faire, c'est horrible de penser cela, rien! Ces grandes jambes, ces barres partout... ce blanc aveuglant... Ce soir, je serai bien obligée moi aussi d'y dormir...!

Non, je ne l'ai pas tuée. C'est elle qui m'a amenée ici. Pourtant je ne lui avais rien fait.

Je ne me rappelle pas pourquoi ils m'ont enfermée dans cette horreur. Est-ce qu'ils font cela à tout le monde? C'est peut-être une de leurs stupides règles de société : lorsque vous avez treize ans, on vous met là pour vous apprendre un peu à vivre, pour que vous ne puissiez plus renier la liberté dont vous jouissiez et que l'on ne vous rendra que lorsque vous serez devenu raisonnable et conforme à leur volonté. Les gens qui se révoltent restent ici indéfiniment, ceux qui s'entêtent stupidement dépérissent lentement...

Ce ne doit pas être tellement terrible si tout le monde est passé par là... C'est donc cet état qu'ils appellent avec mystère l'« âge difficile »... On se sent mal... Mais ça passe vite.

Ceux qui sont dehors se sont tous laissé faire, ils ont cédé à l'infâme chantage! Mais moi je ne les connais plus, maintenant je ne les verrai plus.

Cela m'est égal, tout m'est égal, je veux juste mourir en paix, qu'ils m'abandonnent entre mes bornes, mes limites d'« enfant butée », ils ne sont même pas capables de le comprendre. Qu'ils me foutent la paix!

J'aurais voulu avoir pleins d'amis tout en conservant ma solitude, mais cela m'est apparu comme une impossibilité physiologique. Alors j'ai choisi la solitude, je pourrais résister à tout, eux ils auront toujours besoin de quelqu'un, moi non j'aurai mes propres pensées. Souvent la solitude a un goût de malheur et d'abandon, elle laisse une saveur amère dans la gorge. Mais, toute faveur a ses désavantages n'est-ce pas ? La solitude ne vous force jamais à faire quoi que ce soit, avec elle aucune contrainte, aucun malentendu. Et puis elle est belle, vous ne l'avez jamais vue ? La mienne est très grande, des cheveux noirs, on dit qu'ils sont tristes, des yeux verts et profonds, trop profonds pour ne pas être mystérieux, un visage qui vous suit partout. Nous ne restions pas dans cette maison, les murs y avaient une mémoire, la présence implicite de cette femme était un obstacle à nos conversations, elle voulait toujours s'infiltrer entre nous : « C'est mon domaine, j'ai le droit de savoir ce qui s'y passe. » Nous allions nous promener ensemble. Les rues restent anonymes, discrètes, elles ne gravent rien dans leur mémoire, elles ne vous jettent pas à la face des réflexions perfides et malsaines amassées pendant des jours.

Est-ce que vous connaissez le lycée où va votre enfant ? Non ? Ah ! ça vous est égal ! ça ne m'étonne pas de vous. Les lycées sont les plus laides maisons qu'on ait jamais pu construire et il s'y passe les choses les plus fâcheuses. Non, bien sûr, ce n'est pas affiché sur les murs en même temps que les programmes, mais ça pourrait l'être puisque les parents n'admettent aucune critique envers ce « havre d'éducation » respecté et tout-puissant. « Qu'est-ce que tu veux faire sans ton bac ? dis-le. Ah ! ces enfants, ils ne se rendent compte de rien, si c'est pas malheureux, on leur offre une éducation, une " culture ", et voilà ce qu'ils vous répondent ! Vous comprenez, si on les laissait faire, ils feraient n'importe quoi de leur vie ! Il faut bien les guider un peu. »

Il y a toujours un vieux professeur qui récite le cours qu'il a préparé la première année de son professorat. « Y a rien de mieux que les vieilles méthodes, vous savez. Quoi, ça ne vous plaît pas ? Mademoiselle, on a un peu de respect lorsqu'on ne sait même pas de quoi l'on parle, je suis dans l'enseignement depuis quinze ans, vous n'allez tout de même pas m'apprendre mon métier ! Interrogation, prenez une feuille puisque vous êtes si fière ! »

A la longue, ça finit par faire baisser sérieusement votre moyenne. Alors, on doit les ménager. Toujours dire que c'est parfait, ou mieux ne jamais rien dire. Vous finissez par passer dans la classe supérieure et tout le monde est content. Sauf vous. Mais, vous n'avez pas d'importance, ce n'est que de votre avenir qu'il s'agit.

Ne vous aventurez qu'une seule fois dans les toilettes. Juste pour voir ce que l'on y fait. Mais n'y revenez plus. D'ailleurs, les professeurs, eux, sont protégés, ils ont des lavabos à part, ce qui leur permet de ne pas savoir. Mais cette fille blonde ne peut tromper personne. Elle perd peu à peu sa voix, sa mémoire s'éparpille, son dos se courbe, ses os apparaissent. Son écriture est tremblotante, et elle revient sereine et tranquille des toilettes. Elle a trop souvent les yeux dans le vide et vous regarde d'une drôle de façon, sans vraiment vous voir. Elle a toujours avec elle un sac en papier dont elle ne se sépare jamais. Personne ne s'aperçoit de rien. Ils font semblant d'ignorer. Qu'est-ce qu'ils pourraient faire d'ailleurs ? ils ne savent rien faire sauf s'occuper des absences.

C'est là qu'on vous propose pour la première fois une simple cigarette :

« Tu n'as pas un peu d'argent ?

« — Tu sais, mes parents me donnent un franc par semaine.

— Allez, moi je te donne bien une cigarette. Tire juste une bouffée. »

La deuxième fois que vous venez, on pense que vous avez besoin d'un peu plus d'affection, alors on vous propose des petits cachets blancs qui ressemblent à des bonbons à la menthe. « Ça fera dix semaines d'argent de poche, et je ne te roule même pas ! » Vous repartez avec la promesse d'un rêve...

Je préférerais tout de même être là-bas que dans cet infect trou. Et dire que ça fait à peine un jour que je suis ici. J'ai encore quinze ans moins un jour à ne regarder que ces murs. Mais non, c'est vrai que je n'ai tué personne. Je n'ai fait que refuser leur bouffe, leur drogue, leur drogue de vie, c'est tout. Seulement c'est considéré comme un crime.

J'aurais dû y aller un peu plus fort, peut-être m'auraient-ils condamnée à mort, vous savez bien, en Angleterre c'est la punition qu'ils infligent pour un suicide raté. Une bonne solution, on ne se loupe pas et c'est sans douleur.

Cessez de vous amuser avec cette serrure ! Vous le faites exprès ! Vous tournez en même temps un petit bout de mon cœur et ça vous fait plaisir hein ? Avouez-le. Mais avouez-le donc, sale hypocrite ! Je me garderai bien de vous le demander, ça vous plairait trop et puis vous ne cesseriez plus, ça augmenterait votre jouissance.

Ah ! bon, vous m'amenez gentiment un plateau. « Tu sais, je pourrais te laisser mourir de faim. » C'est déjà fait mais ce n'est malheureusement pas moi qui suis morte, c'est seulement la faim. Qu'est-ce qu'elle va me raconter ? Attention, c'est parti. Elle s'assied sur la chaise, me sourit :

« Alors, tu vas bien manger j'espère. Tu veux guérir n'est-ce pas ? Oh ! je ne vais pas te manger, tu peux me regarder. Non pas un regard noir comme celui-là. Oh ! là là ! si je pouvais, je me cacherais sous la table !

— ...

— Regarde, il y a un beau dessert, hum ! moi qui n'ai pas encore dîné, il me fait envie.

— Vous n'avez qu'à le prendre, je vous le donne, j'espère que vous allez vous étouffer avec !

— Tu n'es pas très gentille. On ne t'a rien fait pourtant ? »

Ça ne vaut pas la peine de répondre.

« Vous feriez mieux d'aller manger puisque vous avez si faim !

— Moi je n'en ai pas autant besoin que toi. Allez, fais un petit effort. Tu n'es pas bête pourtant. Tu devrais comprendre qu'on ne peut pas vivre sans manger et tu veux vivre, n'est-ce pas ?

— Mais bien sûr, ça ne se voit pas ?

— Eh bien, alors fais un geste. Tu sais, c'est la première bouchée qui est difficile, après ça passe tout seul. Et puis tu verras ça ira vite si tu fais juste un petit effort au début. Tu sais, ici, j'ai vu des filles encore plus maigres que toi. Je me souviens d'une qui pesait vingt-cinq kilos pour un mètre soixante ! »

C'est la compétition, eh bien alors, j'ai encore cinq kilos à perdre !

« Quand elle s'est retrouvée dans cette chambre au milieu de tout ça, tu aurais vu elle a mangé tout de suite dès le premier jour et tout ce qu'on lui a donné. Au bout de quinze jours elle est sortie ! »

Moi, je n'ai que quinze ans à tirer, quinze ans moins un jour,

« Tu travaillais bien à l'école ? Tu aimais ça ? Réponds au moins. Je t'ai rien fait. Tu sais je suis adorable quand les malades sont raisonnables. »

Vos rimes sont mauvaises, on s'abstient lorsqu'on ne sait pas. Pourquoi ne s'en va-t-elle pas ? elle sait que je ne mangerai pas ! Elle peut noter dans son carnet que je n'ai rien mangé et même ce que je lui ai répondu, je m'en fous, je m'en fous !

J'ai sommeil madame, je voudrais dormir, laissez-moi dormir ! Espèce de... La nuit est encore loin. C'est l'été et il faut faire dîner les malades tôt pour qu'ils se reposent. Et puis surtout, après le dîner, il faut s'occuper des médicaments. Ces traitements, c'est compliqué vous savez ! Je n'ai pas d'heure, je ne peux pas la connaître, certainement que dans leur esprit elle serait un obstacle à ma guérison... Tout est un obstacle à ma guérison...

Les jours, les soirs où il rentrait de ses soidisant voyages d'affaires, il ne fallait sous aucun prétexte dire un mot, si vous teniez à rester à peu près correct pour le lendemain. Avec les casseroles qui volent et les insultes en suspens, les feuilles d'impôt et les notes de gaz, plus les ragots de la concierge, on est jamais en sécurité.

Il y avait des périodes où ils faisaient semblant de s'entendre. Alors ils allaient chez des amis dont ils pouvaient ensuite « parler », je veux dire parler de leurs mérites sexuels, ce mot signifiait cela pour eux. Ils en faisaient la critique dans la cuisine lorsque la petite était couchée et que le petit n'était pas là, « Oh! Elle ne comprendrait pas si elle entendait, ne t'en fais pas! » Après leurs remarques extasiées, ils décidaient que, évidemment, en fin de compte, il n'y avait rien de tel que leur couple. « Elle ne voulait pas retirer ses bas, tu comprends ça toi? » « Il disait que ce n'était pas correct de faire ça comme ça, s'il faut y mêler la correction, on n'en finit pas! » « Elle avait une jolie poitrine, mais je préfère quand même la tienne, elle est plus modeste. » « Il avait de beaux yeux, mais ça ne sert pas tellement pour ça. » « Si nous allions dans sa chambre, puisqu'elle s'est couchée dans notre lit? Tu veux que j'aille voir si elle dort bien? Tu sais, elle ne se réveille jamais, elle a un sommeil calme. (Je me demande comment ils pouvaient le savoir!) Allez, viens! »

Oh! non, je ne suis pas une obsédée moi, je ne vais pas aller voir ce qu'ils font. J'ai déjà tout compris en regardant les journaux pornographiques qui traînent dans la bibliothèque. Je me demande comment ils font pour ne pas être écœurés, c'est « dégoûtant ». Je ne dirai pas l'autre mot parce qu'il n'est pas correct. Je vais essayer de m'endormir en me récitant le poème que je dois apprendre pour demain. Ils peuvent faire ce qu'ils veulent dans ma chambre, moi, je ne deviendrai jamais aussi corrompue qu'eux. Je ne leur dirai pas ma récitation avec les belles intonations qu'on m'a apprises. Ils préfèrent aller regarder les « filles toutes nues » dans les toilettes, faut dire qu'elles ont de beaux seins mais quand même! De belles fesses aussi...

Tous les jeudis et tous les samedis soir, ils nous envoient chez la « grand-mère ». « Nous serons plus tranquilles, et puis, il ne faut pas les traumatiser ces pauvres enfants. D'ailleurs, elle est gentille, la grand-mère, ils demandent d'eux-mêmes à y retourner. » (Et pour cause, elle, au moins, elle nous paie des carambars au caramel et même au citron!)

Tout le monde est content. Et les enfants s'endorment avec les vieux mots ridés d'un foyer bien tranquille. Ça vaut toujours mieux que les périodes à casseroles. Les parents, vous savez, ils aiment bien s'amuser à se battre. Faut pas faire attention.

Les soirs où il n'était pas là, c'étaient les monologues plaintifs. Je ne pouvais même pas me fâcher, prétexter une « affreuse migraine » :

« Où as-tu appris ce mot-là? C'est moi qui ai toutes les raisons de l'avoir, la migraine. L'huissier vient demain. Peut-être qu'après-demain ici il ne restera plus que les lits.

— Mais c'est pas grave, maman, nous, on ira « chez mémé ».

Hein, tu t'attendais pas à ça!

« Dire qu'il achète des tubes de peinture à vingt francs pièce et que nous on bouffe des nouilles et du riz depuis un mois! Tiens, y a deux semaines, il a encore dépensé cinquante mille balles en un soir! Avec une putain! Il a fait toutes les boîtes de nuit! C'est quelqu'un qui me l'a dit, il l'a vu! »

Qui donc? Ton petit amant? Tu sais, moi, je m'en fous du moment qu'on ne les voit pas défiler ici... deux parents c'est assez difficile à supporter, s'il faut en plus se coltiner d'un côté les amants de l'une et de l'autre les maîtresses de l'un...! Heureusement ils préfèrent la sécurité et le calme des chambres d'hôtel. Les cauchemars des enfants, ce n'est pas marrant, il faut se casser la tête ensuite pour leur raconter des histoires !

Maintenant au moins, je n'ai plus que les murs à décrire. Ce sont des murs entre le jaune et le blanc. Ils ne sont pas lisses, ils ont des petites boules partout, ils disent que c'est plus facile à nettoyer et puis c'est de la peinture brillante, rien ne s'y accroche...

« Isabelle, lâche ça ! Tu vas me le donner, oui ou non ! Donne-le-moi, sinon je t'enferme ! Je le dirai aux docteurs ! Et samedi tu ne partiras pas en permission ! Allez, donne-le-moi et je ne dirai rien !

— Non, madame, s'il vous plaît, je veux aller en permission, s'il vous plaît, je veux aller en permission s'il vous plaît, laissez-moi aller en permission !

— Eh bien, tu vois, tu sais être raisonnable, voilà, c'est bien, donne-le-moi. »

Tu ne pouvais pas le garder espèce de folle ! Tu ne sais pas résister ! Il fallait la faire enrager un peu, juste un peu. Tu cèdes trop facilement, tu n'arriveras jamais à rien !

Silence. Elle a mis les enfants fous au lit. Les crises de nerfs, c'est fatigant, ils ont besoin de se reposer. Je déteste le silence. J'aurais dû apporter une radio. On peut suivre la musique, s'amuser un peu avec elle... Ils me l'auraient volée. Dans le sac ils ne m'ont laissé que mon pyjama. C'est terrible de ne pouvoir écouter que ses pensées, c'est cela la torture du silence.

La critique, le jugement de votre vie qui s'est gâchée toute seule, comme ça, sans même que vous vous en aperceviez... et qui ne risque pas de s'améliorer... Quand je pense que je marche dans leur sale combine, c'est bien ça qu'ils attendaient de moi : que je réfléchisse, que je m'use les cellules grises. Que pourrais-je faire d'autre ici ? Mais ça m'est égal, ils ne le sauront jamais ce que je pense ! Jamais ! Non ! Ils ne risquent pas ! Cela ne sert à rien de m'énerver. Non, rien ne sert plus à rien ici. Et voilà, la phrase court, s'en va, revient, tu n'y peux rien, tu n'y peux rien, nin, nin, nin, nin, tu, n'y, peux, rien, rien, R,I,E,N !!!

Tu resteras là-dedans jusqu'à ce que tu bouffes jusqu'à en vomir d'écœurement ! Ce sera amusant, non ? Vraiment, tu ne trouves pas ? Tu n'es pas marrante, toi, alors ! Moi, je rirais bien en te regardant !

Ça suffit, espèce de conne de pensée retardataire et réactionnaire ! tu ne me verras pas, qu'est-ce que tu crois ? Au fait, quel est le but de votre grève de la faim ? Mais ce n'est pas une grève, je mange une nouille par-ci, un grain de riz par-là... Vous riez, oui, c'est drôle. Et ridicule. Je perds mon corps tout doucement mais ce n'est pas grave puisque je n'en ai pas conscience. Je vais finir par perdre mon esprit aussi, ça c'est plus ennuyeux... Je vais de miette en miette, je végète de jour en jour à travers l'univers des sans-énergie, des sans-appétit, des sans-tout ce que vous voudrez. Je ne peux pas courir, c'est trop fatigant pour ma jeunesse, il me faudrait trois demi-heures pour m'en remettre, je peux marcher, oui, mais enfin, n'en abusez pas...

Il y a toujours devant mes yeux les couleurs d'un kaléidoscope. Je ne suis qu'une imbécile, ce ne sont pas des solutions de se laisser mourir de faim. Oui, je sais, cela m'avance à quoi ? je ne peux même pas faire trois pas sans avoir la tête comme une toupie. Ah! je suis belle comme ça, blanche qui tourne au verdâtre, vraiment jolie! Bientôt je vais m'écrouler par terre et ils viendront me ramasser en riant! je n'en ai rien à foutre! J'aimerais bien le savoir exactement, très exactement. L'ennuyeux, c'est que je ne pense pas que ce soit une chose précise, claire. C'est un ensemble : le déplorable résultat de treize ans de vie dans leur monde foutu. Qu'attendaient-ils d'autre? La reconnaissance?

Le sexe, moi, ça ne m'excite pas et je trouve même qu'à la longue ça devient fastidieux d'en parler. Mais je n'y peux rien puisque ce sont les autres, les obsédés, les frustrés, les vicieux, les... Moi aussi, mais sur un autre registre. Ainsi vous devez comprendre que lorsque la femme de votre amant est malade, que votre mari est en voyage, qu'en plus les finances sont à sec, il ne reste qu'une solution, c'est votre propre maison. Alors moi, je n'ai plus qu'à emmener mes crayons à dessiner et mes livres dans ma chambre. Seulement, je n'avais pas compris tout de suite, au début je ne voulais pas m'en aller parce que là il y avait les lumières, le poste à musique et à paroles, le grand tapis pour moi toute seule, et dans ma chambre je devais tout ranger avant de pouvoir m'allonger par terre. Ils ont commencé à s'énerver : « Va te coucher tout de suite et t'as intérêt à t'endormir vite, tu m'entends? allez, va dans ta chambre! » Ils me prenaient pour une imbécile, mais cette soudaineté, cette hâte, ne trompaient personne, même pas moi. Les enfants ne peuvent pas comprendre ces choses-là! vraiment?

Cela m'agace de parler de mon enfance, je suis sûre que ce ne peut pas être cette période précise de la vie qui vous pousse ensuite à faire telle ou telle chose, ce me serait tellement facile de renier l'influence et les conséquences qu'elle a pu avoir. Non, j'accepte, sans y croire vraiment, qu'elle ait pu être plus importante que... disons l'« adolescence ». Et pourtant comme les choses vous apparaissent alors flagrantes dans leur dérision, humiliantes dans leur impudeur, écœurantes dans leur inutilité... et vous avez l'impression de n'être qu'un « sale môme » qui passe son temps à se promener dans les rues sans même savoir où il va. Tout est plus intense, tout revêt un second sens par-dessus celui de l'enfance, un sens tellement décevant, tellement inutile... Dans le fond, heureusement que vous ne faites pas partie de tous ces gens, et que vous allez leur échapper. Hein ? Non ! Regardez-les, mais regardez-les donc mieux ! Ne voyez-vous pas que ce sont des mécaniques ! Ils vont engueuler un peu leurs enfants pour se défouler du patron, elles vont les envoyer se coucher à huit heures et demie pour pouvoir faire ce qu'elles veulent avec leur amant, ils vont les insulter pour avoir demandé un peu d'argent de poche... Bien sûr, tout le monde n'est pas comme ça. Mais vous n'y pensez pas lorsque vivent près de vous des milliers de gens semblables à ceux que je viens d'essayer de décrire, lorsque les gens « bien » vous apparaissent intouchables, à des distances infinies de cette mesquinerie, de cette bêtise. Vous, vous n'aurez jamais aucune chance de les connaître, ils essaieront de venir vous voir dans votre chambre, un jour, au hasard, et que verront-ils dans le couloir ? Alors, ils s'en iront très loin, parce que des choses comme celles-là vous donnent envie de fuir à des milliers de kilomètres, de ne plus jamais revenir.

Véritablement, ces souvenirs d'enfance peuvent-ils être plus importants que les gifles violentes que l'on reçoit ensuite...? Si j'avais découvert des gens, des gens comme j'essayais de les imaginer, oh! je ne les imaginais pas parfaits mais presque... je n'aurais pas ouvert les portes... d'une mort certaine. Ce n'était pas mon rôle d'accepter le monde tel qu'il était, je n'en voulais pas ainsi, je n'en veux pas ainsi! Je ne voulais pas davantage essayer de m'adapter à tous ces pots de miel, parce que je savais que c'était moi qui avais raison. Bien sûr, je possédais tous les défauts mêmes que je reprochais à ces gens : intolérance, entêtement, lâcheté, hypocrisie. Mais c'étaient bien eux qui m'avaient forcée à être là, moi, je ne. leur devais rien, c'était à eux de tout me donner! Ils faisaient semblant de ne pas le comprendre, alors...

Le mur me regarde comme un défi, blanc, pur, innocent. Non, je ne veux pas dormir entourée de quatre panneaux de haine. Je voudrais qu'ils me retrouvent morte dans ce lit...

Il ne faut penser à rien. Demain c'est tout près, et ça ira mieux. Je me réveillerai de mon cauchemar et j'irai me promener du côté du Luxembourg, très tôt... Même si ce n'est pas vrai, il faut que je croie cela, au moins jusqu'à demain. Après, j'inventerai autre chose. Fais comme si ce lit avait une couverture brodée... un plafond rose, d'un rose très chaud, très accueillant... une lampe à allumer... non, il ne faut pas lire, j'ai déjà mal aux yeux, je vais éteindre et rêver un peu. Voilà, je me suis allongée, sur le côté, parce que j'ai l'impression de tenir moins de place. J'attrape mon ventre entre mon pouce et mon index, comme une feuille de papier, afin de me moquer un peu de moi. « Ah! t'es maligne, ils peuvent t'écraser comme une mouche entre leurs doigts, tiens, un coup de pouce et il n'y a plus personne! » Mais qu'ils le fassent donc, je n'attends que cela! Le matelas est dur, personne ne l'a amolli, ça ne risque pas, c'est la chambre des « anorexiques », des gabarits un peu trop forts, entre vingt et trente kilos.

Je ne dois penser à rien, demain ils s'apercevront de leur erreur, ils me laisseront sortir...

Demain. Le premier pas pour l'atteindre c'est de fermer les yeux. Noir, ténèbres, je me suis endormie parmi leurs malentendus, parmi un univers de haine et de vengeance. Je n'ai pas peur puisque tout me mènera, sans aucun doute, à la mort. J'ai hâte de la connaître. Certains disent que c'est une vieille femme ridée, moi, je sais qu'elle est belle, c'est la plus belle femme jamais vue, seule sa présence aura le pouvoir de me faire oublier ces murs, ces ténèbres, cette horreur...

Je ne dois penser à rien pendant mon sommeil, les ignorer, faire comme si on ne m'avait pas imposé ce monde, je suis bien décidée à retrouver ma maîtresse, la plus belle de toutes.

Oui, vous avez réussi à m'enfermer, mais vous ne m'aurez pas, cela m'est indifférent de mourir ici ou dehors, rien ne peut m'empêcher de rejoindre la mort, elle m'attend et je viendrai la rejoindre, vous n'y pourrez rien.

5

Les roues d'un chariot grincent... j'ouvre les yeux. Tout est blanc, engourdi, paresseux.

Je me suis réveillée en croyant être quelqu'un de « normal » simplement épuisé et courbatu, des coups sans importance, je croyais que le plafond était peint en orange et que derrière les fenêtres se battaient les garçons du quartier.

Je me lèverai pour leur prouver que je résiste à tout. Tiens, ils n'ont pas fermé à clef. Une infirmière entre. Non, la femme de chambre. Elle vient prendre les draps sales. Ce n'est pas la peine, madame, moi je ne me suis pas soulagée dans votre belle literie, soulagée de quoi, d'abord ?

Je comprends maintenant pourquoi ils ne poussent pas les lits contre le mur. Je la regarde border les draps, ça m'occupe, ça fait passer deux minutes.

Attention, messieurs les médecins, vous n'aviez pas pensé à cela n'est-ce pas ? C'est très mauvais pour le traitement, elle ne devrait voir personne, sauf lorsqu'on lui apporte à manger... « Tu manges, et il y aura quelqu'un près de toi, tu ne manges pas et il n'y aura personne. » Oui, tu finiras par attendre l'heure des repas car elle signifiera une présence... Tout vaudra mieux que cette solitude insupportable. On finira bien par t'avoir! NON!

« Tu peux aller te laver si tu veux, les autres ont fini. »

Tu te rends compte, quelle chance, la salle pour toi toute seule. Quelle soudaine gentillesse! Ils pourraient pousser l'humiliation jusqu'à me laisser sale, gluante de leur corruption. Pourquoi ne le font-ils pas? Allez, faites-le, ne vous gênez pas, au point où j'en suis! Non, vous préférez me laisser une petite faveur, pour m'encourager. Il faut que je voie de quoi ils ont l'air, les autres, peut-être qu'eux aussi on les a pris au hasard? on pourrait organiser un plan d'évasion.

En équilibre précaire sur mes deux jambes, j'ai organisé ma petite promenade. D'abord simuler la plus grande faiblesse possible, adopter les pas les plus lents. Ensuite repérer l'anatomie de leur baraque, faire semblant d'avoir un vertige au milieu du carrefour ou n'importe quoi... Après, entreprendre de me laver de la racine des cheveux aux ongles des doigts de pied... mais ils ont dû prévoir tout cela. Le couloir est court jusqu'aux lavabos. De l'autre côté un dortoir le prolonge, lumineux car les fenêtres n'y sont pas murées. Je suis dans la partie d'ombre, celle des emmurées, des chambres pour les cas nécessitant l'isolement. Le carrelage plus sombre au milieu est entouré de deux bandes plus claires. Attention, c'est bientôt le carrefour. Un autre couloir perpendiculaire à celui-ci, bordé d'un côté par des radiateurs grillagés et des vitres transparentes, de l'autre par des salles.

A deux mètres de moi, il y a l'infirmière aux yeux bleus, assise sur une chaise devant la porte du bureau... J'ouvre la porte jaune. Rangée de lavabos d'une propreté douteuse, instinctivement je choisis le plus éloigné. Il y a un miroir... Est-ce cela mon visage ? Qui est donc cette sorte de serpillière blanche, où sont passés les yeux ? Enfouis, perdus, trop allongés pour qu'on puisse les apercevoir, j'ai presque envie de rire de moi, oui, c'est vraiment trop drôle, d'ailleurs je ne peux plus pleurer, mes paupières éclateraient.

L'eau coule entre mes doigts et me réconforte, je m'amuse à l'envoyer se casser sur ma peau... je n'aurai jamais la force d'inspecter mes ongles, et puis d'ailleurs ici, c'est encore plus sinistre que dans ma chambre. Ce n'est même pas la peine de regarder dans le couloir, ce n'est plus la peine de rien.

« Au déjeuner, allez ! »

C'est le moment de sortir, je vais toutes les voir se précipiter vers le réfectoire. Mais où est-il ?

« Madame, qui c'est celle-là ! Madame, je veux savoir qui c'est celle-là ! »

C'est une énorme fille aux cheveux courts et mouillés, qui porte une robe écossaise affreuse, des chaussettes blanches, des chaussures vernies. Elle a les pieds en dedans et malaxe nerveusement, maladivement, ses mains croisées sur son ventre. Sa tête inclinée sur l'épaule s'agite, de plus en plus menaçante.

« Qui c'est celle-là, madame, dis-moi qui c'est celle-là ! »

Une peau laiteuse, des yeux méchants, pleins de rancune; petits, verts, affrayants.

« Isabelle ! viens manger. Allez, laisse cette fille tranquille, elle n'a pas l'habitude.

— Tu me diras qui c'est celle-là, madame, tu me

le diras. Quand j'aurai mangé tu me le diras, madame! »

Petit rire agressif et moqueur. Elle suit les autres que je n'ai même pas eu le temps d'entrevoir, trop anéantie, effrayée, coléreuse et angoissée. Heureusement que je suis seule dans une chambre, je ne veux pas les voir, je ne les supporterais pas. Je ne me supporte plus!

Bruits d'assiettes et de bols, je n'entends que cela. Quelques cris aussi, d'infirmières et d'enfants, d'autorité et de colère.

Mais c'est toujours elle qui gagne... Ils pourraient tous se révolter ensemble...

L'image de cette fille me revient et je regarde le mur, la fenêtre, le sol. Tu n'as rien à espérer, ce n'est pas la peine. Tu as mis du temps à le comprendre. Aucun espoir, sais-tu ce que cela signifie? Tu étais drôle tout à l'heure avec tes projets d'évasion, tes manigances stupides, attends un peu de connaître vraiment la règle du jeu! Qu'est-ce que tu t'imagines? Ils en savent plus que toi, ils ont tout prévu! Tu l'as vue cette fille? elles sont toutes comme ça ici, tu es seule. Seule, et tu n'as plus qu'à céder à leur chantage, à te plier à leur règle! Non!

Un bol de café apparaît avec des tartines de pain rassis et du beurre rance. Je reste prostrée dans un coin de mon lit. Je ne viendrai pas les reluquer vos infectes tranches de pain. Je ne viendrai même pas m'asseoir « à côté de vous ». Je ne veux pas en arriver à espérer votre présence. Je me pendrai plutôt avant à la chaîne des waters!

« Allez, viens manger, je sacrifie une demi-heure pour venir te faire manger, alors tu vas faire un petit effort n'est-ce pas? Tiens, viens t'asseoir. Comment non ? Tu sais, ça ne sert à rien de t'entêter comme ça. Viens au moins t'asseoir ! »

Ils ne savent que répéter leurs phrases usées et flétries. Vous savez, moi, ce que je lui dirais à une idiote pareille ! Espèce de conne, regarde comme t'es moche, ils rient bien de te voir ! C'est malin, au lieu de leur taper dessus tu t'écrases comme une vieille chaussette. Ah ! ce n'est pas comme ça que t'y arriveras ! Tu ne pourras même pas les narguer avec ta jeunesse et ton énergie. Tu ne les connais pas, ce qui les gêne le plus c'est de voir les autres vivre sans contraintes, comme ils auraient aimé pouvoir le faire ! Tu t'es trompée, complètement trompée, tu me fais rire ! Et tu continues à t'entêter. Elle doit te trouver ridicule, cette infirmière. Non, tu mens. Ça ne t'est pas du tout égal ! tu ris sous tes larmes !

Je sais. Mais je ne mangerai pas. Je ne veux pas gâcher tout. J'ai été trop loin, je ne reviendrai plus dans leur sale chemin bien tracé, bien raisonnable, où tout est prévu ! Tu m'entends, je n'irai pas ! Et regarde-la, tu ne crois pas qu'elle est plus risible encore ? Oh ! ça suffit, ce n'est pas un concours de plaisanteries, je n'en veux pas de ce jus de chaussette, je ne veux pas de vos tartines. Je ne veux rien !

« Aujourd'hui on va te peser, bois ton bol de café, il ajoutera au moins un kilo. Tu te rends compte, tu en serais déjà à trente-deux ! Plus que huit à rattraper ! »

Non, mais vous me prenez pour une machine à emmagasiner de la bouffe ? Huit ! Mais c'est énorme. Vous vous rendez compte, huit kilos ! Je serais grosse, laide et comme ça ils pourront continuer à se moquer de moi. Je n'en veux pas, d'abord je n'ai pas faim, je ne sais pas ce que c'est d'avoir faim, et je ne veux pas le savoir !

Mais ils ne te laisseront jamais partir, ça ne les dérange pas de te garder indéfiniment ! Allez, quoi, si tu manges une tartine, ils diront peut-être que tu es guérie, et alors tu pourras continuer à faire des efforts chez toi, toute seule...

Non ! Ils ont dit huit ! Non et non !

« Le docteur ne va pas être content, tu sais, tu n'y gagneras rien... »

J'ai vu sur sa montre qu'il était huit heures et demie. Je ne suis plus en colère, seulement complètement découragée, vidée, sans espoir.

Je fais des efforts incroyables pour écrire cette histoire objectivement, clairement, avec force détails et dialogues. Ce n'est pas par manque de mémoire, au contraire, elle a tout trop bien retenu, mais j'imaginais un récit plus subtil dans lequel je n'aurais considéré que mon jeu, et non celui de ceux qui tentent de sauver quelqu'un d'un rêve, d'une folie. J'aurais intensifié cette rage et cette colère, j'aurais aiguisé chaque phrase, rendu le côté horrible et désespéré. Et je n'aurais fait que semblant de me venger. Je veux tout dire, et je m'aperçois que je ne pourrai jamais être vraiment objective, bien que je reconnaisse que ce sont « eux » qui m'ont « sauvée » d'une mort certaine.

Ils m'ont soi-disant guérie, mais je suis toujours révoltée, cette femme, ma mère, n'a pas disparu de mes pensées. Quant à mon équilibre...

En vérité, tout le monde a perdu, je suis là, triste et morose, méfiante et lâche. Je fais semblant de vivre et je me cache pour pleurer, ils me reprendraient pour dépression nerveuse, ça les amuserait de me revoir. Ils m'ont gardée dans leurs griffes, j'ai conservé l'angoisse d'un emprisonnement, la colère refoulée d'une injustice, la rage de l'impuissance. Mes souvenirs sont trop précis, les rapprochements sont toujours possibles : je prends le bus et en passant devant ces murs d'hôpital, ils m'écorchent la peau, je vais dans un jardin public et les grilles me sautent au visage. Je m'acharne à écrire et je retrouve la solitude. Cette volonté de continuer malgré la fatigue, malgré mes doutes et leur menace rejoint l'autre prison. Je suis restée là-bas, dans la chambre vingt-sept, avec mes refus, avec ce mal de vivre. Et je crois bien que je n'arriverai jamais à en sortir.

Elle a fermé la porte à clef derrière elle en laissant sa colère assise sur la chaise rouge. Moi, j'éprouve un petit plaisir que j'enfouis immédiatement, honteusement. Je ne veux pas me détruire pour les autres, je ne veux rien faire pour eux. Je ne dois plus penser, ça fait trop mal, je vais finir par céder et ça, je ne le veux pas. Je vais rêver, m'imaginer libre. Libre d'errer dans les rues en me convainquant de la laideur du monde. Comme c'est facile de s'enfoncer dans le refus, mais ce n'est pas grave, seulement un rêve, juste un rêve. Eux, ils s'enfoncent bien dans la corruption, le chantage, l'indifférence.

Quelques filles folles lancent des cris dans le silence. Je ne les ai pas vues, je ne les connais pas, je les imagine comme des monstres, hagards, prêts à vous sauter à la gorge, sortant les dents... Ces yeux verts, ce gros corps difforme... C'est comme ça qu'ils veulent que je devienne! NON!

Ces lèvres fines et luisantes, ce rire perfide, moqueur...

« Je vais vous attacher si vous continuez, espèces de sales gamines. Tu vas voir, je suis plus forte que toi. »

Oh! non, je n'ai pas pitié! C'est bien fait, oui, elle n'a qu'à l'attacher. Je ne veux plus entendre ces cris rauques et enragés, ces bruits de chaises tirées, de corps forcés. Je veux être méchante, égoïste, butée. Je n'ai qu'un but, c'est persévérer et mourir dans cet asile. Ils n'auront plus leur « chose », ils seront coupables. Moi seule le saurai, eux, rien ne peut les toucher. J'irai rejoindre ma maîtresse et eux, ils resteront dans leur univers minable! Vous avez dit « ma maîtresse »? Je ne vous ai pas parlé à vous, sale doctoresse, doctoresse des fous, vous aussi vous êtes folle n'est-ce pas? Oh! je vous vois venir : « Tu aurais donc préféré être un garçon, avoir une maîtresse comme eux, hein? » Vous auriez marqué dans votre dossier : « On reconnaît bien les symptômes d'une anorexie, refus de la féminité, refus de sa condition de fille. » Non, je ne vous ferai pas ce plaisir, je ne vous le dirai pas.

Le bruit de la clef qui tourne dans la serrure. Elle porte à bout de bras une bascule... L'instrument de torture, l'instrument des décisions à prendre, à venir. Peuh! je suis bien obligée de monter dessus! L'aiguille annonce le désastre : trente et un kilos. Oh! ce n'est pas tellement terrible, elle l'a dit elle-même, y en a qui pèsent vingt-cinq kilos. Sa voix aiguë et stridente annonce le chiffre, comme si je ne savais pas lire ou comme si elle avait peur d'être trahie par sa mémoire et risquait d'inscrire sur son carnet : quarante kilos.

La clef tourne et se retourne dans mon cœur et

fait gicler un peu de haine sur le mur trop blanc. Je vais pouvoir rêver en paix et consolider mon souhait, ma volonté! Tu n'es qu'une imbécile, tu n'es qu'une sale môme, tu vas mourir, tu ne peux pas comprendre toute l'horreur que représente ce mot! Il n'y a que les enfants pour dire des choses aussi épouvantables! Oh! vous savez, si vous préférez, je peux dire vivre mais ce sera le même cri, le même désir, le même besoin. J'ai tout organisé, comme dans un crime et ce n'est pas horrible, ça soulage. Vous ne pouvez pas savoir. J'ai mis un bout de fil, tiré de mon pyjama, dans la table de nuit pour ne pas perdre le cours des jours. Il y en a trois maintenant et le triple de plateaux ont défilé sous mes yeux et sous mon estomac qui en est encore tout retourné. Autant de refus, autant de victoires sur leur puissance. Je ne peux pas savoir à quel point je me trompe.

J'ai croisé dans le corridor des filles... Il y en avait une, une petite, peut-être cinq ans, très belle, de très grands yeux noirs avec le blanc bleu, un petit nez à la grecque, une bouche plus que sensuelle. Elle m'a regardée farouchement et m'a suivie partout jusqu'à ce que l'infirmière l'enferme.

« On a bien interdit à tout le monde d'approcher cette fille, il faut la laisser se reposer! »

Il y en avait une qui m'a choquée plus que les autres. Une Algérienne, grosse, grande, laide. Une voix trop forte, elle m'avait trop souvent tirée de mes rêves pour que je ne la déteste pas. Elle tenait un peigne dans une main et courait après « Isabelle » (tu vois bien que tu t'y fais, maintenant, tu les appelles même par leur prénom ce n'est pas plus difficile que ça!) apparemment pour essayer de la coiffer.

« S'il te plaît, je veux pas que tu me coiffes, je veux pas, s'il vous plaît... »

Menaçante, le peigne à bout de bras... un peu comme l'infirmière avec sa balance...

Elle entra, sereine et bien maquillée, la « psychanalyste », elle osa entrer, c'est certainement encore pour me provoquer, pour me faire parler. Je ne vous dirai pas un seul mot, vous entendez, pas un seul !

« Alors, comment vas-tu ? »

Elle ose me la poser ! Est-ce que je lui demande moi si son amant est « bien », enfin, vous me comprenez ! Elle serait capable de me répondre ou de me regarder en souriant !

« Tu as maigri d'un kilo ! Tu as été malade ? Tu as vomi ? »

Elle me prend pour une idiote, je le sais bien que les infirmières marquent le nombre de bouchées. Ce n'est pas trop difficile pour leur petite cervelle, il n'y en avait pas eu une seule !

« T'as pas eu la diarrhée ? »

Tu penses, ils se seraient ramenés avec pilules, piqûres et menaces.

« Tu le fais exprès, c'est pas à nous que tu apprendras qu'on peut se rendre malade par la seule volonté d'une petite cervelle idiote comme la tienne ! Tu fais ça parce que tu crois que l'on va se désespérer et te laisser sortir, n'est-ce pas ? »

Exact. Entre nous, ce n'était pas très difficile à deviner. Mais je ne vous le dirai pas, d'ailleurs vous n'avez pas besoin de ma réponse, vous êtes tombée juste, il n'y avait que cette possibilité.

« Tu as réfléchi pendant ces trois jours ? »

Non, je n'ai fait que rêver. Faux. Vous croyez

donc que l'on peut s'abstraire de ces murs, de ces cris, de ces plateaux qui vous torturent et vous écœurent ? Que l'on peut ne pas remarquer les filles qui se promènent dans le couloir ? Pourquoi m'avez-vous mise ici, je ne suis pas folle, je ne suis pas comme toutes ces filles, ce n'est pas vrai !

« Oui ? »

Non, elle ne s'énerve même pas devant mon silence qui m'exaspère moi-même. La première fois, elle m'a menti, comme tous les autres. Elle m'a dit que le poids n'avait pas d'importance, qu'il fallait seulement découvrir les causes de ce refus, le mécanisme qui m'y avait amenée. On me laisserait sortir lorsque j'aurais trouvé, lorsque j'aurais pris un peu de poids. Elle ne m'avait pas dit que ce « peu de poids » c'étaient neuf kilos, à prendre et maintenant dix puisque j'en ai perdu un, c'est eux qui me l'ont fait perdre, ils s'amusent avec mes kilos comme avec des balles ! C'était une ruse pour me faire parler n'est-ce pas ? Vous avouez le pourquoi croyant pouvoir sortir après, et on vous annonce que maintenant il ne reste que le plus facile : les neuf kilos... Il n'y a qu'eux qui vous intéressent, si je les prends sans avoir rien découvert de moi, vous me laisserez partir, vous n'êtes que des hypocrites, que des charlatans ! Je ne vous dirai rien !

« Oui ? »

Vous savez, ce ne sont pas vos interrogations qui vont me troubler dans mon entêtement.

« Oui ? »

Ce serait exactement la même chose si vous n'existiez pas.

« Tu parlerais plus avec un autre médecin ? »

Ils n'y comprendront jamais rien ! D'ailleurs, ils ont certainement tous l'air aussi obsédés, détraqués, frustrés... je n'ai besoin de personne, je ne veux rien.

« On t'a dit que tu aurais droit à une visite à trente-cinq kilos ? »

Elle le sait très bien qu'on ne me l'a pas dit... c'est pour cela que je ne répondrai pas non plus. D'ailleurs, j'avais décidé de me taire. Je suis têtue et bornée comme une vieille vache d'infirmière : « Tu le mangeras, crois-moi, tu finiras par l'avaler. »

« Je reviendrai te voir dans deux jours, si tu n'as pas pris de poids, on changera de méthode. Au revoir. »

Avouez qu'il ne faut vraiment pas être psychologue pour dire une chose pareille ! Rien ne peut être pire que la présente méthode, je ne dois pas prendre de poids, il faut que j'attende deux jours. Ils ne sont pas aussi futés que je le croyais. Mais cette autre méthode dont elle parle : peut-être des lames de rasoir dans la bouche ou me faire avaler... du lait vitaminé, plein d'horreurs écœurantes... Non ! Ils ne peuvent pas faire cela ! j'attendrai.

Hier soir en allant aux toilettes, j'ai croisé une grande fille blonde et cadavérique qui marchait comme à travers un voile, les yeux dans le vide et les bras ballants... Pourquoi est-elle comme ça, qu'est-ce qu'ils lui ont fait ? L'infirmière m'accompagnait, celle du soir est plus méfiante que celle du matin, je le lui ai demandé... Elle a haussé les épaules ! Mais enfin, vous pourriez être polie et me répondre, je ne vous ai rien fait, je ne vous saute pas dessus comme le font ces deux jumelles débiles, je ne mouille pas les draps, je ne vous vole pas votre dessert, je vous donne même gentiment le mien ! Alors, c'est le secret professionnel ? Vous avez peur que ça dérange ma guérison ? Vous savez, comme elle est partie il n'y a pas beaucoup de risques... Vous ne voulez même pas que je m'instruise ? Le travail intellectuel fait maigrir sans doute ? Quand je pense à ce menteur de psychiatre qui disait : « Ne t'en fais pas pour tes cours, il y a des professeurs ! »

« Je vais m'occuper des jumelles, je te laisse seule, je te fais confiance, hein ? »

Encore une ruse ? J'ai croisé entre deux lavabos ternes la petite fille qui maintenant abritée derrière le paravent me regarde. L'Algérienne se lave à trois miroirs plus loin, en chantonnant le dernier tube au hit parade. Comment peut-elle faire pour chanter, ça lui est égal d'être enfermée ici ? Elle se plaît ?

« C'est toi, celle qui ne mange pas ? Tu as tort tu sais ! »

Le lavabo est sale. J'aperçois une araignée sur le mur. Pour la prison, il ne manque plus que les doubles portes et les verrous. Ils ne m'auront pas, je ne me laisserai pas faire. Elle attend que j'enlève mon pyjama. Tu ne m'as pas regardée ? C'est tout juste si j'arrive à me traîner jusque-là, tu ne crois pas que je vais me laver de la tête aux pieds ? Tu es folle, je m'écroulerais... sur le carrelage froid.

On ne peut pas fermer les toilettes. Il y a des cafards et plein d'autres petites bêtes. Le vasistas est grillagé, on aperçoit un bout de ciel. J'ai eu soudain très mal au cœur, où était l'air ? Une crampe qui part de la gorge et s'arrête au milieu du ventre, je n'arriverai jamais à rejoindre ma chambre... Encore quelques pas et tu y seras dans ta prison, va, ne t'en fais pas! Oui, elle te plaît, mais ne t'inquiète pas tu en as encore pour long- temps, tu n'es pas près de la quitter! Dans deux jours, je connaîtrai le supplice qu'ils m'ont pré- paré, je pourrai organiser ma défense. Je suis ridi- cule. Je me fais rire, mais je ne veux pas qu'ils m'aient! Personne ne peut rien!

Je ne sais pas l'heure. Quelle importance a-t-elle? Ici les jours ne comptent pas, on vous prend votre temps, comme on prend votre corps. Vous n'avez rien à dire, vous n'avez que le droit de supporter. Je ne pleure plus. J'ai l'impression de ne plus pouvoir, mes yeux restent secs, mon corps est vide de larmes. C'est dommage, les larmes, c'est chaud, compréhensif, ça réconforte.

Je ne peux pas rêver non plus car le mur est trop agressif, trop présent.

Je n'ai que mes pensées à retourner dans tous les sens. Je regarde brûler ma peau de soie, la première, une de mes fausses peaux, une de celles qui cachent ma véritable sensibilité. Et je ne res- sens rien. Peut-être une petite satisfaction.

Je n'aurai plus jamais cette pitié inutile et fausse en voyant des enfants fous. Ils sont loin de m'apitoyer, ce sont eux les plus intelligents, les plus forts, ce sont eux qui finiront par gagner. Ils me font peur. C'est presque du dégoût que j'éprouve en les croisant... Encore une des traces stupides de mon éducation ratée... J'aimerais pres- que les détruire, je voudrais qu'ils n'existent pas. Ils ont une supériorité trop grande, ils ont su refu- ser le monde. Ils ne se sont pas trompés, eux seuls possèdent une sorte de bonheur. Et lorsqu'ils vous regardent avec leurs yeux effrayants c'est cela qu'ils crient... et personne ne peut les comprendre car ils l'ont décidé ainsi. Leur univers ne doit pas être violé, un domaine privé qui n'appartient qu'à eux. A côté d'eux, je me trouve bête et ridicule, leur intelligence et leur mystère m'effraient.

Deux jours plus tard, je crus avoir remporté une victoire. Ils oublièrent la clef au fond d'un tiroir, me donnèrent mes vêtements et mes livres, me permirent d'aller dans les salles avec les autres enfants; je n'usai pas de cette dernière permission, frayeur stupide et maladive. Je n'ai d'ailleurs que toujours très difficilement supporté la présence des autres, je suis amoureuse de la solitude, est-ce en réalité de l'orgueil, de la prétention envers soi-même? Certainement. Je reste avec moi, je n'ai que mes pensées, que mes idées... Facilité aussi, personne pour vous contredire. Lâcheté, personne avec qui se battre. Pour ne pas m'accuser de tout cela, j'ai été choisir des livres dans la bibliothèque et surtout observer les enfants, ce que l'on m'offrait si facilement.

La salle de jeux était sale, comme tout ici d'ailleurs, avec une simple table et des dessins accrochés aux murs. Près de la porte, une grosse fille brune aux cheveux courts assise jusqu'au fond de sa chaise se balançait d'avant en arrière. C'est elle qui portait la robe à fleurs le jour où je suis arrivée. Elle se caressait les seins avec ses mains qu'elle enduisait au fur et à mesure de salive. Je faisais semblant de n'être pas choquée, parce que personne ne la regardait, tout paraissait normal. La petite fille aux yeux bleus pleurait parce qu'elle n'arrivait pas à enfiler les perles de verre et l'Algérienne essayait de la consoler en lui montrant comment faire, mais les cris redoublaient. Près d'elle, il y avait une autre petite fille au visage déformé, je ne l'avais jamais vue. Lorsqu'elle se leva, je remarquai qu'elle portait des chaussures orthopédiques et qu'elle boitait. Les deux jumelles s'amusaient à faire des grimaces dans un coin, elles portaient des couches dont elles essayaient de se débarrasser, sans résultat. « Isabelle » se tordait les mains, debout, anxieuse et imposante; je ne parvenais pas à la regarder, elle me faisait peur.

L'éducatrice expliquait à une grande fille comment faire des marionnettes. Apparemment, elle semblait comprendre, elle répondait par des phrases compliquées et même sophistiquées. Pourquoi donc était-elle là ? Une autre se faisait les ongles... très maquillée, très bien habillée... Des livres traînaient, uniquement la comtesse de Ségur et Jules Verne. Je suis retournée dans ma chambre et je me suis jetée dans *Les Malheurs de Sophie* jusqu'à ne plus pouvoir ouvrir les yeux.

Les infirmières se montraient récalcitrantes envers ce nouveau traitement, je baissais toujours la tête au-dessus des plateaux, et ne faisais aucun effort, ni pour m'égayer ni pour avaler quoi que ce soit.

Je prenais les fourchettes et choisissais le plus petit morceau de viande, elles s'énervaient et je pleurais. Je restais avec mes livres, ils n'avaient même plus de sens.

Tu ne vois pas, espèce d'imbécile, que tu te meurs de malheur et de faim. Mais on te laissera au bord pour que tu souffres et afin que tu ne te tues pas. Ils s'amusent et tu fais leur jeu ! Cela ne regarde que toi, personne d'autre n'est enfermé, personne d'autre ne vit avec les fous. Intercalée entre les phrases du capitaine Nemo et de la comtesse née Rostopchine, prostrée, avec mes mots, mon silence et ma solitude, j'avalais sans réagir cette rage contre moi-même.

Chaque semaine, ma mère venait, elle passait à quelques mètres de moi, derrière le mur, m'apportait des affaires et des livres et repartait avec les trente et un kilos au fond de son sac. Pour prévenir toute tentative, ce qui dans mon cas ne risquait pas d'arriver, une infirmière entrait soudainement dans ma chambre et me parlait des merveilleuses vacances qu'elle avait passées, et ainsi personne ne risquait de rencontrer personne. Ils étaient risibles avec leurs précautions : elle était bien le dernier être humain que j'aurais aimé voir apparaître; elle qui disait : « Je ne céderai pas. »

Elle qui disait : « Tu veux me rendre malade ? »

Elle qui disait : « Tu comprends bien que tu ne peux rester ici. »

Et ce serait elle la récompense de mes quatre kilos ! vous vous rendez compte !

Un professeur de mathématiques me rendait quelquefois visite mais elle n'avait pas le droit de m'enseigner. Elle devait avoir quarante-cinq ans, je ne la classais pas dans le cercle interdit. Je savais qu'elle n'irait pas rapporter au docteur ce dont nous avions parlé. Je savais qu'elle ne passait dans le service que pour moi et ne confiait pas à l'infirmière l'objet de son passage. C'était la seule personne avec laquelle j'avais des rapports si l'on peut dire, « normaux ».

Les infirmières n'essayaient même plus de me persuader de manger, quelquefois seulement elles jetaient en l'air des réflexions qu'elles voulaient perfides : « C'est bien ici, tu te plais. Tu lis. Tu pourrais aller avec les autres dans l'atelier si tu le voulais. Tu n'es pas près de sortir, c'est moi qui te le dis, mais ça ne t'inquiète pas beaucoup semble-t-il ? »

La doctoresse, devant mon silence buté, venait rarement me voir et ne me faisait aucun reproche au sujet de ce fameux poids. Tu as ce que tu veux, ils te laissent en paix! Oui, mais ils ne te laisseront pas sortir!

Je m'en voulais terriblement d'agir comme je le faisais, je me traitais moi-même de tous les noms possibles et imaginables lorsque le plateau arrivait et qu'une voix disait en moi : « Tu ne le mangeras pas! » Mais celle-ci était plus forte que l'autre qui me répétait : « Tu ne veux donc pas sortir, tu te plais bien ici, ah! t'es chouette, tu vas passer ta vie entière chez les fous, tout ça parce que tu ne veux pas manger, et puis tu vas vite devenir réellement folle...! » Je finissais par n'en écouter qu'une seule, la plus puissante, pour échapper à ce dilemme insupportable.

Ils m'avaient trimbalée dans d'interminables couloirs, prises de sang, radios des poumons, photographies, analyses psychanalytiques. Ils piquaient une seringue dans le bras gauche et les gouttes de sang tombaient dans un flacon... Il fallait appuyer sur la veine afin que le peu de sang qui me restait encore sorte. « Tu n'as pas besoin de savoir pourquoi on le fait! » L'appareil de radio était glacial lorsqu'ils vous y collaient le torse nu.

La tête embuée, je croisais, en revenant entre

mes deux gardes, les adultes du pavillon psychiatrique... Les premières fois, je ne pouvais détacher mes yeux de leurs difformités, de leurs mimiques... ensuite je détournais mon regard instinctivement, comme s'ils pouvaient me communiquer leur folie.

Le photographe vous collait devant un mur blanc et vous mitraillait les yeux avec ses flashes. L'impression que j'en avais éprouvée m'avait glacée de terreur et de joie : il m'emmenait au peloton d'exécution avec son revolver au poing, en une seconde je n'existerais plus.

Pour avoir été éblouie par le flash j'étais restée, à la grande peur du photographe, à moitié évanouie sur le sol.

Je m'amusais avec leurs conneries d'examens psychanalytiques. On m'emmenait dans un petit bureau situé dans les étages secrets de ces asiles labyrinthes et on me laissait avec une de ces femmes qui essaient de ressembler aux hommes et vous prennent pour un enfant de six ans.

« Je vais te poser des questions, tu répondras ce que tu voudras, d'accord ? Sais-tu ce que sont les hiéroglyphes ? »

Elle me prend pour quoi ? c'est pas parce qu'il y a des « h » et des « y » que ce mot m'effraie ! Je vous signale aimablement qu'on le trouve dans le programme d'histoire de sixième et que je devrais être en quatrième, si ces imbéciles ne m'avaient pas enfermée dans ce bordel.

Elle sort ses petites fiches « à questions », auxquelles il faut répondre le plus vite possible. Elle remet ses lunettes et prend la deuxième série de fiches, celles qui vérifient les réponses. Elle examine son maquillage dans son miroir de poche et saisit la troisième série de fiches, celle des bilans...

« Paul donne trois francs à Pierre, mais Pierre en doit cinq à sa maman, combien devra-t-il prendre dans sa tirelire ? »

Il y a dix cubes sur la table, Stéphanie en prend quatre et Véronique deux. Mais les garçons les lui volent, Stéphanie en rend trois et François un. Combien y en a-t-il ?

C'est bien, maintenant, dis-moi à quoi te font penser ces photos ?

Des images de ronds et de barres, non, madame, je ne me laisserai pas prendre, je n'ai pas envie que vous ajoutiez sur mon curriculum vitae « obsédée sexuelle ». Je sais aussi qu'il ne faut pas dessiner de trop grosses racines aux arbres : agressivité; pas trop de fruits : arrivisme; pas trop de fleurs : romantisme; ne pas voir trop souvent dans les images des personnages; jamais de sang; en bref, ne pas s'aventurer. Et puis, vous savez, je n'ai plus l'âge de jouer aux cubes de dessins ou de couleurs...

Cela faisait trois semaines que j'étais là, on était donc à la fin du mois de septembre. Si j'essayais de sourire, mes lèvres se craquelaient, mes yeux, comme tout mon corps, étaient secs, désespérément secs, j'évitais les couloirs et demandais seulement quelquefois à celles qui y passaient : « Qu'est-ce que tu as ? » Réponse évasive. Ce qui me choquait c'était que l'on mette à l'asile des gens qui apparemment se comportaient normalement. Cette grande adolescente, par exemple, je la voyais souvent travailler, avec tous ses livres de classe, des livres de terminale, et rien en elle ne m'étonnait, sauf bien entendu le fait qu'elle n'ait pas l'air le moins du monde gênée ou ennuyée par son internement. Elle avait la chambre près de la mienne, mais son traitement ne nécessitait aucun isolement et elle pouvait en sortir librement. Je fus surprise par son désir de rendre différente cette minable chambre d'hôpital. Moi, cela me paraissait encore plus douloureux : ces dessins sur fond blanc, ces objets venus d'un pavillon de banlieue. Insolites ces fleurs, oui, d'accord, très belles, mais pas avec la table de nuit en fer-blanc.

Qu'ils le gardent comme ils l'ont créé leur sale domaine, ils voudraient peut-être aussi que l'on s'adapte, que l'on s'habitue, qu'on les trouve gentils...!

De sa fenêtre on pouvait voir la cour. Semblable à une cour d'école, marronniers, bancs, oh! c'est vrai, c'est l'automne, les feuilles ont de jolies couleurs. Moi, si j'étais les arbres, je deviendrais exprès très laid... Une cour d'école, sauf que les grilles en étaient plus solides et plus hautes...

Il n'y avait pas d'étages dans ce pavillon. Si l'on pouvait ouvrir les fenêtres... mais l'air passe juste par le dernier carreau du haut. Alors il faudra que je trouve autre chose.

Elle m'a parlé de ses parents, de son petit ami, de ses études... Moi j'attendais la raison du verdict : le crime... Elle parlait d'une « bêtise » et ne s'attardait pas, oubliait tout pour me décrire « sa » chambre, la véritable.

Effrayant, inhumain, injuste, je connais bien des gens dehors qui sont plus « anormaux » qu'elle. Ils doivent lui donner des euphorisants pour qu'elle ne s'aperçoive de rien, sinon c'est impossible. Elle n'a pas le regard vide, ni trop grosse ni trop maigre, elle n'est pas agressive... Ce sont peut-être des crises...

Je n'étais pas obligée de connaître les symptômes des maladies mentales... Pour moi, un fou c'était une effrayante personne qui se contorsionnait dans tous les sens et devait être enfermée pour ne pas vous agresser et utiliser sa force refoulée; c'était aussi quelqu'un de complètement inconscient quant à son état. Un fou quoi, vous entendez, un fou! Un déchet... une larve anéantie par les électrochocs et maintenant par les « calmants »... C'est bien ainsi qu'on les décrit, n'est-ce pas ? « Maman, qu'est-ce qu'il y a dans cet hôpital ? » Et on vous étale les méfaits de ces gens qui « vivent aux crochets de la société ». Comme ils se croient obligés de faire semblant d'être indulgents, ils choisissent la phrase la plus fausse, la plus mielleuse : « Tu sais, ils sont malheureux, mais on n'y peut rien, on essaie de les soigner. »

Parce qu'elle, elle se croit heureuse ?

« Bien sûr. Le matin, je me lève à sept heures pour aller au bureau, là je tape un peu pour avoir l'air de travailler et puis nous échangeons des recettes, des confidences avec mes copines, le midi nous allons voir dans les boutiques les robes que nous ne pourrons jamais nous payer, l'après-midi on se fait les ongles, et le soir on s'occupe de notre petite famille... »

Ça c'est une folie douce, respectée, inoffensive, ils ne les enferment pas.

Je revins dans ma chambre secouée comme un vieux poirier qui ne supporte pas un coup de vent. Par quelle tare vais-je être contaminée en restant dans cette maison de fous ? C'est étrange que je ne veuille pas admettre que moi aussi, je suis classée, inscrite sur la mauvaise liste. Et mon comportement ne fait qu'aggraver les choses : « Elle ne manifeste aucun désir de sortir, elle a donc besoin de notre aide, elle a peur de se retrouver de nouveau face au monde. Ici, elle se sent protégée. Il ne faut pas la brusquer, laissons-la. » Ce n'est pas possible d'abriter un cerveau aussi buté ! Tu ne les boufferas donc jamais, ni eux ni leur poison de permissions et de sorties ? Ça ne regarde que toi... C'est bête tout de même de rester là-dedans alors qu'il y a tant de choses dehors. Mais, ils n'ont qu'à me laisser sortir maintenant, je me sens bien, est-ce qu'on les enferme eux, parce qu'ils ont les cheveux blonds ? S'il fallait enfermer tous les gens maigres !

Ils ne m'auront pas !

Il y a une nouvelle infirmière du matin, elle revient de vacances, une petite femme énergique et autoritaire. Le jour où elle arrive, ma seconde peau vient d'éclater, et je ne peux plus arrêter les larmes, coléreuses, rageuses, méprisantes, des sanglots qui m'étouffent presque.

« Eh bien, qu'est-ce que c'est que ce gros chagrin ? »

Ah ! non, je ne peux plus respirer, ça augmente, la boule grossit, je halète pour trouver l'air.

« Alors, on m'a dit que tu ne voulais pas manger ? D'abord, tu devrais être enfermée dans ta chambre sans pouvoir rien faire. Ils sont gentils avec toi, tu pourrais faire un effort avant qu'ils ne prennent des décisions. Mais j'ai l'habitude, je vais te faire manger, moi. »

Tu peux toujours attendre. Si tu crois que c'est parce que tu arrives !

Elle revient quelque temps après et me surprend plongée dans un de mes livres interminables, la rage au cœur et des bornes dans l'esprit. Elle se fâche plus fort que toutes les autres. Au bout d'une demi-heure de : « Encore une bouchée, allez, dépêche-toi, c'est pas comme ça que tu vas grossir », elle m'attrape la main et m'écarte les dents avec la fourchette jusqu'à ce que ma bouche s'ouvre. Je bouge la tête dans tous les sens et à peu près les neuf dixièmes du plateau atterrissent par terre et sur sa blouse. Elle finit par capituler pour la viande et reprend la douceur pour essayer de me faire manger une infecte crème à la vanille. Mais ça ne marche plus, je m'étouffe avec ma rage, et les bouts noircis qu'elle était parvenue à me faire avaler.

« Tu vois bien que tu ne peux pas rester ainsi. On va finir par te mettre une sonde dans le nez et tu n'auras pas la voix au chapitre. Crois-moi, tu ne gagnes rien à faire ça. »

Mais justement je ne fais rien !

« Tu ne te rends pas compte de ce que ta maman endure à cause de toi. Elle doit se dire ma pauvre petite fille... »

Ah ! non, foutez-moi la paix avec ça ! Vous vous trompez. Vous voulez peut-être aussi me faire croire que c'est elle qui est la plus malheureuse ? En attendant, c'est moi qui suis chez les fous ! Et c'est bien elle qui m'y a mise ! Elle n'avait qu'à réfléchir !

« Tu sais, ce sont les parents les plus courageux. De laisser leurs enfants ici, sans rien savoir sauf que l'on fait tout ce que l'on peut pour les soigner ! En venant, j'ai rencontré ta maman, je lui ai donné tes affaires. Si tu la voyais, tu ferais des efforts, crois-moi ! »

Elle s'enfonce. Elle a pris ma rage pour de l'amour. Voilà maintenant que ces chers parents ont le rôle le plus difficile ! vraiment, ça c'est génial ! Eux qui se débarrassent aimablement et sans risques de leur « chose »... « Pourvu qu'elle me revienne normale, vous pouvez lui faire n'importe quoi. » C'est cela qu'ils acceptent en signant. Et puis cette infirmière, c'est une menteuse. C'est cet imbécile de psychiatre, il avait déjà prévu l'intervention de la police pour le surlendemain au cas où... donc ce n'est pas elle qui... Mais c'est elle puisqu'elle m'a traînée de force chez ce fou de psy...

Je lui lance un regard furieux : « Toi non plus tu n'y comprendras jamais rien ! » Naturellement ma réaction est mal interprétée :

« Tu n'aimerais pas la voir ta maman ? »

Je sanglote comme un vieux déchet auquel on apprend qu'il n'a plus que deux mois à vivre.

« Je t'aime bien, je vais te faire une fleur. C'est moi l'infirmière principale. Je vais demander aux docteurs de te permettre de voir ta mère. Peut-être que cela déclenchera le système. Mais si cela ne marche pas, on t'enfermera. Tu comprends bien qu'on y sera obligés. Allez, mange cette crème, dépêche-toi. Vraiment ça ne sert à rien d'être gentille avec toi. »

Elle attrape la cuillère et érafle l'émail de mes dents. Sale réactionnaire ! Tu fais venir ma mère et en plus tu me tiens la tête et m'enfonce jusqu'au fond de la gorge ce mélange dégueulasse ! Elle m'a laissée sur mon lit étouffée, hagarde, prête à l'attaque. Ses paroles me revenaient sans cesse, moi qui croyais presque ne rien avoir entendu. Je ne savais plus rien, sauf que j'allais me laisser avoir... Non !

Elle avait réussi à faire craquer la troisième peau. Putride le pus n'en finissait plus de s'échapper, toujours plus virulent. Non, je ne veux penser à rien, j'attends, ils finiront bien par découvrir la raison de ce malentendu. C'est impossible, mieux vaut ne pas même y penser. Mais comment faire ? Le mur a tout écrit sur sa peinture, cela me saute dans les yeux, dans le cœur, jusque sous les ongles...

La faveur d'une visite était fixée à trente-cinq kilos. Un jour, pour ne pas avouer leur défaite, ils vont m'annoncer une « permission », celle du week-end, et ils ne me reverront jamais ! Je m'échapperai, je me suiciderai, mais d'une façon sûre, sinon, je me retrouverai avec deux crimes. Ils ne sont malheureusement pas assez idiots pour faire ça !

« Allons, ne pleure pas, c'est pour ton bien que je t'ai forcée. Tu ne m'en veux pas ? »

Ben voyons. Je vous tuerais si je le pouvais !

« Tu verras, quand tu te seras décidée, ça ira vite... Moi non plus je ne t'en veux pas. Je sais que ce n'est pas de ta faute, que tu ne peux pas, alors on t'aide, on ne veut pas te laisser mourir. Tu comprends ? Allez, sèche tes larmes... Enfin, tu pourrais me parler...

— Pourquoi m'ont-ils mise ici, je ne suis pas folle !

— Tu sais bien que tu n'aurais pas mangé chez toi. Et puis les parents ne savent pas, ils ne font pas ce qu'il faudrait...

— Vous, vous faites ce qu'il faudrait, vous enfermez les gens comme s'ils avaient commis des crimes !

— Ne sois pas butée. Tu sais aussi bien que nous que c'est la seule façon d'agir. Tu ne peux pas continuer ainsi, tu le sais très bien. Tu ne peux plus rien faire, ton cerveau va s'atrophier, tes études et tout ça... tu ne veux pas que ce soit foutu ? Tu travailles bien, j'en suis sûre. Alors, tu n'as aucune raison d'être malheureuse. Tu les as vus tous ces enfants, là, dans le couloir. Tu pourrais être comme eux... C'est toi qui as voulu être malade. Eux, ils n'y sont pour rien, s'ils pouvaient, ils feraient ce qu'il faut pour sortir. Mais la plupart sont irrécupérables. Toi, tu as toutes les chances et tu les laisses tomber comme des vieilles chaussettes. Tu ne veux pas rester toute ta vie dans cet hôpital ? Alors, tu sais ce que tu dois faire n'est-ce pas ? Et ne lésine pas, il faut mettre les bouchées triples, neuf kilos, c'est beaucoup...

— Je n'y arriverai jamais.

— Essaie au moins. Tu sais, elles disent toutes comme toi au début et au bout d'un mois elles sortent. »

Celle-là, elle va m'avoir. Voilà, elle essaie de m'aider, elle ne me laisse pas tomber, et moi, qu'est-ce que je pense ? Tu es une conne, une vraie conne, qu'est-ce que tu cherches ? Tu veux te faire plaindre ou quoi ? Non, ce n'est pas vrai, tu ne veux pas qu'on te foute la paix. La preuve, elle qui ne t'a pas parlé comme à une folle, tu ne la détestes pas tout à fait. Et pourtant elle t'a éraflé les dents ! Mais qu'est-ce que tu veux, nom de Dieu ? Finir ta vie dans un asile ?

— Je vais m'en aller. Demain, je parlerai aux docteurs pour ta mère. J'espère que tu mangeras ce soir. Tu sais, tout le monde est désespéré à ton sujet. Personne ne sait plus quoi faire. »

Ce soir-là, je n'ai pas mangé. Je me sentais horriblement coupable. C'était bien ce qu'ils cherchaient. Ce sont eux qui vous enferment et c'est vous qui avez tort.

Ma colère était passée. Je commençais à me

poser des questions sur mon comportement, sur mes refus, et surtout sur ces paroles qui avaient, pour le moment, fait tomber ma haine envers « ils » et ranimaient celle envers moi. Mon état d'esprit était totalement différent. Est-ce qu'en réalité je cherchais quelqu'un pour s'occuper de mon corps ? Moi, je ne veux pas m'occuper de « ça » moi-même ? Est-ce que j'attendais le diagnostic de mon état mental ? S'ils me considèrent comme folle que je mange ou non ils me garderont... Oui, elle avait dit ce qu'il fallait, elle avait affirmé mon intelligence sans même que je lui aie parlé alors que je m'étais comportée comme une parfaite imbécile. Parce que bien entendu, elle avait lu le fameux carnet. Sans doute tient-elle le même discours à tout le monde, à toutes ces filles décharnées qui s'entêtent à baisser la tête sur leurs plateaux ?

Ce sont bien tous les mêmes ! Des traîtres ! En tout cas, toi tu n'es qu'une imbécile !

En passant dans le couloir, je regardais les « enfants fous ». Isabelle se promenait avec une culotte à la main en pleurant parce qu'on ne voulait pas la lui laver. On entendait les cris d'une petite fille enfermée dans le cagibi, une autre s'était endormie sur le carrelage... Pourquoi je les méprise ? Je ne les comprends pas, je ne peux pas, c'est peut-être pour ça... je ne les connais pas, je ne le veux pas.

J'aimerais que les autres, ceux que l'on a enfermés, réagissent comme moi je le fais envers eux. Pourquoi est-ce que je ne me décide pas ? Je n'ai pas le choix, je sais que c'est la seule façon de sortir de cette prison. Mais qu'est-ce que j'attends ? Qu'est-ce que j'attends ?

A dix heures, toutes les lumières s'éteignent, sauf les veilleuses, l'infirmière de nuit passe toutes les demi-heures ou toutes les heures. A huit heures du matin, le chariot des draps sales me tire de mon sommeil immobile.

« Alors, tu n'as pas mangé hier soir ? C'est marqué. Rien. Tu exagères, tu sais. Je t'amène ton déjeuner dans un quart d'heure. »

Dis-moi, tu vas t'amuser longtemps comme ça ? je te déteste, sale môme ! Tu n'es qu'une sale môme !

J'entends les autres enfants qui vont au réfectoire en courant.

Un énorme bol de café trop sucré, des tartines de bâtard... Tu vas les manger espèce de sale môme. Ne dis pas qu'elles sont infectes, tu n'y as même pas goûté. Et puis, avec toi, tout est infect. Tu mens en plus. Tu n'as pas faim, ne me fais pas rire, tu n'as pas mangé depuis des mois ! Et pour l'instant, tu te nourris de ta douleur alors évidemment ce n'est pas très bon... Prends ta tartine ! Ne respire pas, sinon tu vas trouver une excuse. Si tu ne sens pas l'odeur ça passera vite... Mon cœur se retourne, attention tout est fini. Je la repose et sirote le café. Tu es vraiment con ! essaie encore une fois, merde, ce n'est pas si compliqué ! Avoue que c'est risible, non ? Ne plus savoir manger ! Attention. Je ne respire pas. Je l'attrape fermement. Je ne la regarde pas. J'ouvre la bouche. Je fais entrer ce que je peux. Trop, ça m'érafle la gorge, ça se bat pour entrer dans le tuyau, ça m'étouffe. Merde, j'en veux pas !

Et voilà ! ah ! je vous énerve ! Je vous comprends.

Elle parvint à convaincre le docteur. A onze

heures, une femme toute drôle entre avec un grand sourire figé et un :

« Alors, ma chérie, comment ça va ? »

Elle voudrait, peut-être, que je lui réponde que la pension est tout à fait à mon goût ? Je suis infecte ? Pas autant qu'eux. Elle me regarde comme si elle ne m'avait jamais vue d'un air parfaitement heureux. Qu'est-ce qu'elle va me raconter ? Que c'est dégoûtant parce que son avocat n'a pas réussi à faire admettre tous les torts de l'autre côté, elle est obligée d'accepter « à torts réciproques » ? Non, elle ne dit rien et c'est mieux. Ça lui fait plaisir de me voir ? C'est à moi que ça doit faire plaisir ! Et j'en suis à des kilomètres.

« Je ne dors pas la nuit à cause de toi, tu sais. Je me fais du souci. C'est moi que tu vas rendre malade. »

Si elle est venue pour me dire ça, elle peut partir tout de suite. J'ai assez de mes propres reproches pour ne pas entendre ceux des autres. Si je mangeais, ce ne serait certainement pas pour lui faire plaisir. Je ne suis qu'une hypocrite, pourquoi je ne lui dis pas ce que je pense ? Elle ne voudrait pas me croire, elle accuserait le choc et me prendrait dans ses bras. Non ! C'est plus facile de se taire ! Hypocrite ! Lâche ! Tu ne vaux vraiment rien !

Le lendemain, n'ayant noté aucune amélioration, on ferma la porte à clef, m'allongea sur mon lit et les médecins défilèrent avec leur sourire de triomphe au coin des lèvres. On m'alloua le docteur débile que j'ai décrit au début de ce récit. Me voici revenue à ce moment-là après un mois d'emprisonnement, de douleurs et de haine.

6

« Alors, comment ça va aujourd'hui ? »

Ma colère est partie. Je n'exploserai pas en sanglots. Je ne crierai pas. A vous non plus je ne dirai
rien. Cette grande vache va revenir dans un quart
d'heure, vous vous mettez à deux maintenant,
mais vous ne me faites pas peur !

« Comment ça s'est passé avec ta mère ? »

Il n'espère tout de même pas que cela ait pu
bien se passer ! Non, je ne veux plus entendre
leurs voix, non, je ne veux plus leur répondre.
Taisez-vous !

« Ton père est au Canada, n'est-ce pas ?

Il le sait très bien. Non, j'ai dit que je n'écouterais pas.

Je m'enfonce sous le drap, comme si j'étais très
fatiguée.

Je m'amuse avec le plafond, cercles de couleur,
étoiles fantastiques. Parlez, monsieur le docteur,
déchargez-vous de vos complexes ! Je ne regarde-
rai même pas vos lunettes un peu trop grosses.
Vous êtes tellement fatigué que vous avez besoin
de vous tenir le menton ? d'appuyer votre coude
dans votre main libre ? Il faut vous reposer
voyons ! Ne fixez pas ainsi votre regard sur moi,

vous allez être accusé de névrose « qui peut dégénérer ». Ce n'est pas la peine, je ne parlerai pas, d'ailleurs vous vous y prenez trop mal.

« Ça ne te déplaît pas trop ici, hein ?

— Tu te regardes souvent dans une glace ?

— Quand tu étais petite, tu jouais aux voitures ou aux poupées ? »

Je sais que vous voulez le prouver votre refus de féminité, mais quand même ! Vous ne croyez pas que vous êtes un peu lourd ?

La porte s'ouvre, le « cheval » apparaît menaçant. Ils se disent bonjour avec amabilité, l'interne s'incline devant la chef de clinique. Comme je ne veux pas me mêler à la conversation, ils se parlent entre eux. Ils auraient pu choisir un autre endroit qu'une chambre de malade ! Mais vous savez, ces gens-là n'ont pas de scrupules.

« Dans une semaine, on met la sonde ? si elle n'a pas pris de poids ?

— Oui, il faut bien le lui faire comprendre. Elle se plaît trop ici. Alors on va sévir un peu pour qu'elle ait envie de partir.

— Pourquoi s'entête-t-elle dans son mutisme, à votre avis ?

— Réponds à ton médecin, je vais me fâcher si tu ne réponds pas !

— Ce n'est pas à moi qu'« il » a posé la question. Et puis, je ne veux pas déranger votre entretien et je ne veux pas me mesurer à votre orgueil de directeur de prison, il écrase tout le monde. Evidemment, c'est vous qui avez les clefs. »

J'avais bien préparé ma petite phrase, piètre vengeance, je me rends compte de son inutilité. La chef de clinique commence à s'énerver sérieusement.

« Maintenant tu vas répondre, je t'assure que tu vas répondre. Bon, on reprend tout au début. Sais-tu pourquoi tu as fait cela ?

— Non.

— Avais-tu des problèmes avec ta famille ?

— Non.

— Comment as-tu réagi quand ton père est parti au Canada ? »

Silence.

« Réponds, ça t'a fait de la peine ?

— Non.

— Qu'est-ce que ta mère a fait ?

— Rien.

— Ton frère est parti avec lui ? Tu n'aurais pas aimé être à sa place ?

— Non.

— Ça t'a ennuyé que ta mère demande le divorce ?

— Non.

— Tu aimais ton père ?

— Non. »

C'est un interrogatoire de flics ou quoi ? Qu'est-ce que ça peut faire que je réponde ou pas, ils n'ont qu'à marquer ce qu'ils veulent dans leur dossier. Ils sont par trop ridicules avec leurs questions.

« Qu'est-ce que vous en avez à foutre, c'est mon père qui vous intéresse, je le connais à peine et puis je ne veux pas vous parler. Vous posez des questions stupides, d'un air supérieur, je ne veux pas vous répondre. »

Ces gens-là ne comprennent pas vite, ils continuent.

« Tu avais des amis ?

— ...

— Tu avais un ami ?

104

— ...

— Tu parlais souvent avec les autres ?

— ...

— Tu trouves ces questions stupides ? Dis pourquoi au moins. Ce n'est pas avec le silence que l'on peut s'expliquer. »

Pas avec des idiots non plus, en tout cas, je n'aime pas votre tête !

« On veut t'aider c'est tout. C'est très important de savoir ce qui s'est passé avant que tu tombes malade. »

La gentillesse, maintenant, il faut tout essayer, n'est-ce pas ?

« Tant pis pour toi. Ne parle pas mais mange. Si je reviens la semaine prochaine, tu sais ce qui t'attend. »

Ils m'ont laissée anéantie et pleurant au fond de mon lit d'hôpital, sûrs de leur victoire ! Qu'est-ce que je peux faire maintenant ? La laisser se ramener avec ses piqûres « calmantes » et sa sonde nasale ? Non ! Je n'ai plus qu'à les bouffer leurs sales plateaux pour criminels endurcis ! Je n'ai plus qu'à accepter cette forme de suicide, avaler leur poison qui donne « la vie, la joie, la sortie » !

Je me vengerai une fois dehors. A quoi servent leurs méthodes, on ne peut pas empêcher les gens de se tuer ! Je les aurai ! Je vais sortir et après vous verrez ! D'abord apprendre à être hypocrite, ne pas cesser de leur mentir, et de simuler. Une fois dehors je pourrai m'échapper, recommen...

NON !

L'infirmière aux yeux verts a tourné la clef dans la serrure.

Elle apparaît derrière son plateau.

« V'là le déjeuner! Alors tu as parlé avec les docteurs? »

Silence. J'ai la permission de me lever pour manger. Elle est heureuse de me voir souffrir. Ils prendront leur médiocre plaisir devant tant d'écœurement.

Je me suis empêchée de respirer, j'ai regardé fixement le mur en face et j'ai péniblement essayé de mâcher, d'avaler... Chaque miette m'éraflait la gorge comme une lame de couteau affûtée, je devais m'y reprendre à plusieurs fois pour une malheureuse once de leur poison. Le regard ébahi sous la calotte blanche éclatait de victoire, rien qu'à cause de cet air de triomphe dominateur j'aurais voulu lui cracher mes bouchées à la figure. Mais non, c'est stupide, je me vengerai d'elle après, après...

Elle est repartie, réconciliée, contente. Les mains légères... et m'a laissée anéantie, malade... C'était trop, rien ne passait. Trop de poison à la fois, mon ventre va éclater, mon estomac se tord de douleur et de refus. Heureusement, elle n'a pas fermé à clef, pour me récompenser, je cours dans le couloir, je m'emmêle les pieds, arrive quand même aux lavabos et décharge ma rancœur, ma haine. Tous mes efforts n'avaient servi à rien. Je n'y arriverais pas. Je resterais murée, cloîtrée, comme une criminelle...

Elle me console stupidement en m'encourageant, je refuse ses paroles réconfortantes. D'accord je ne suis pas assez forte mais elle m'affaiblit davantage. Je n'en veux pas de sa pitié.

« Ne t'en fais pas c'est normal la première fois. Il ne faut pas te décourager. J'avoue que j'y avais été un peu fort sur les rations. Mais ça ira mieux ce soir, tu ne vomiras plus. Je vais te donner quelque chose avant de partir pour que ton estomac s'habitue. Ne pleure pas comme ça, ce n'est pas bon pour les nerfs ! »

Je ne sais pas comment s'appelle cette sensation, ça n'a pas d'importance, je quitte tout, il faut que j'oublie sinon je ne le supporterai jamais, je dois me perdre, ne plus exister que dans un monde à moi, c'est le prix de la liberté, le prix d'un rêve. Pour m'échapper, je dois devenir comme eux, aussi partiale, aussi dure, aussi intransigeante. Sans cela je n'y arriverai jamais.

« Dehors », c'est merveilleux, il ne faut, surtout pas, que j'oublie de croire cela. Surtout pas, c'est le plus important. Imagine, par exemple, que les gens y soient comme tu as toujours rêvé qu'ils fussent... que ta maison te plaise énormément. A l'intérieur, il y a toutes les choses que tu aimes : des plantes, des perles, de la lumière tamisée, de la chaleur, de la confiance... Imagine que « dehors » il y ait des amis qui aimeraient te voir... Non ! ne dis jamais que ce n'est pas vrai ! Tu dois tout recommencer. Alors... Recommence... les gens... la maison... les amis... et puis choisis un métier, le plus fou, le plus désiré, celui auquel les autres n'ont pas le courage de rêver... tu l'as ? Bien, est-ce que ça ne va pas un peu mieux ? Ah ! tu vois bien ! Surtout ne cesse pas d'y croire... Maintenant, ouvre les yeux. Regarde le mur et repense à ton rêve... Alors, que fais-tu ?

Je prends la tranche de gâteau que me propose ma geôlière... Un métier... une bouchée... un succès... encore une... bonheur ? Non, c'est un leurre, je ne le saurai jamais ! Ça ne fait rien, une autre pour l'encens qui brûlera dans ma maison, à moi...

NON ! Tout est faux, ça m'érafle la gorge... Tu

vois, tu as tout gâché. Il faut tout reconstruire pour parvenir à la fin de cette infecte tranché!

Je devais rester couchée toute la journée, la clef était mise sur la porte, du mauvais côté évidemment, mais pour eux, c'était le bon. Je ne pouvais rien faire, ils avaient de nouveau retiré les livres et tout ce qui aurait pu m'occuper.

D'ailleurs, la savante élucubration de mon rêve me suffisait amplement. Il était si bien élaboré qu'il prenait toutes mes forces et tout mon temps. Solution stupide et qui allait, beaucoup plus tard, se révéler d'une efficacité déplorable ou plutôt d'une contagion effrayante et celle-là réellement anormale. Seulement, je ne pensais pas à plus tard, je pensais à toutes ces bouchées cauchemardesques, et à la « merveilleuse » liberté que je m'étais si soigneusement inventée. Je devais surtout ne rien voir d'autre. Ne plus réfléchir en regardant ces enfants fous, ne pas faire de suppositions, ne pas essayer de comprendre, sinon je n'aurais plus la force de retrouver leur monde dégénéré. Juste cette phrase : « Dehors, c'est fantastique. »

Le lendemain, on m'emmena pour me peser dans la nursery. La balance superprécise y était sans caprices : un vrai juge sans faiblesse. Il fallait longer le couloir dans toute sa longueur, passer devant la section des garçons, traverser une cour... Ils veulent donc me faire perdre mon précieux gramme ? Une machine à l'abri de tout soupçon ! Bien sûr, j'avais pensé à tricher, remplir mes poches de choses lourdes, et même truquer la balance au dernier moment. Mais les infirmières me déshabillaient et ne me laissaient même pas approcher de cette fameuse garce, sauf pour l'écraser de mon poids imposant.

En même temps que la colère et la rage, j'avais perdu mon énergie, découverte vaine, révoltée et révoltante. Or, désormais tout devait avoir un sens, il fallait un plan, un but, un mythe. Je n'avais pas appris la traîtrise de ces moyens ni leur danger, et puis, que pouvais-je faire d'autre? Certainement pas affronter la réalité, j'aurais tout le temps d'y penser lorsque, bien sûr, il serait trop tard.

Tout cela était plus ou moins inconscient. Ou plutôt, après ma règle du jeu si douloureusement mise au point, ce l'était devenu. Mon plan ne pouvait se réaliser sans cet oubli momentané. Je devais croire à mon fantasme sinon je retomberais inévitablement dans mon cynisme et ma négation, ainsi, tout m'apparaissait parfait. « Dehors » était une sorte de paradis que j'allais rejoindre. En attendant, je pouvais prévoir n'importe quoi, devenir n'importe qui, à mon choix, il suffisait de le désirer.

En revenant dans ma cellule, j'aperçus une fille rousse et maigre qu'une infirmière introduisait dans la chambre en face de la mienne. « Je te plains, vraiment tu n'as pas de chance, j'espère que tu ne vas pas t'entêter, mange, il faut absolument que tu manges. Ça ne vaut pas la peine de se révolter, c'est inutile, je te le dis, mange! »

Et moi, alors? Mais moi, je mange. Quoi? Fais-moi rire! En tout cas elle l'a bien dit la balance, cent grammes! Non, mais tu te rends compte! Oui, mais j'ai vomi, et puis il n'y a qu'un jour, donc un repas, donc... encore... trente jours! cent grammes par repas, trois cents grammes par jour, un kilo à chaque pesée tous les trois jours, environ un mois... Enorme! Tu pourrais essayer d'aller un peu plus vite!...

« Il y a une autre anorexie qui est arrivée. Elle n'a pas de chance, sa mère est dans le pavillon des adultes. On l'a enfermée aussi. »

Avec une fausse inquiétude maternelle elle regarde tout ce que j'avale, tout ce que je trie inconsciemment, avec toujours cette habitude... pas ce bout-là, non, pas celui-ci...

« Aujourd'hui, tu finis tout. Je ne veux pas te voir moisir un an ici. Ce serait trop bête. Tu te rends compte, toute une année à rattraper, tu redoublerais! Allez, tu es persuadée maintenant qu'il n'y a que le poids qui te fera sortir, que ça ne sert à rien de traîner. »

Ma maison passe devant mes yeux, mon rêve emplit mes pensées, tu veux le rejoindre, alors tu finiras ce plateau. Je repense à cette fille. En toi-même, tu la traitais bien d'idiote de s'être laissée mourir de faim, de s'être oubliée, de se montrer ainsi, presque invisible, inexistante... Tu es comme elle... Mange!

« Tu veux un autre dessert? Oui? C'est bien, tu vas voir, ça ira tout seul. »

Voilà de quoi fortifier mon rêve... Une chère dame qui s'occupe de moi et me raconte des choses intéressantes. Oui, elle est là, dans mes fantasmes, c'est d'ailleurs elle qui provoque mon évasion, je suis bien obligée de le reconnaître, c'est grâce à elle... et en plus, cela m'aide à tenir quand c'est l'autre, la vache aux yeux bleus... Elles se relaient un jour sur deux. Un dimanche sur deux.

Au bout d'une semaine, j'avais pris un kilo. C'était l'alternance du désespoir et de la volonté. On m'amenait des portions supplémentaires, venait m'encourager avec une barre de chocolat, me sacrifiait les plus belles parts. J'étais écœurée, voulais tour à tour abandonner ou m'étouffer de trucs bourratifs. Je commençais à entrevoir la vérité sur mes propres manipulations, celles de mes rêves. La chef de clinique ne repassa pas et permit aux infirmières de me donner des livres. Mais ce qui déclencha définitivement le mécanisme fut la présence de l'autre anorexique avec laquelle je pus parler un jour, en cachette, dans les lavabos.

Elle avait les cheveux roux et crépus, une peau parsemée de taches de rousseur, une démarche incertaine, glissante et inaudible, comme inexistante. Je me rendis parfaitement compte que c'était moi que je cherchais à atteindre à travers elle.

« Bonjour. Je suis anorexique aussi. C'est infect ce qu'ils font, hein ?

— Oui, j'en ai marre.

— Tu pleures aussi toute la journée ?

— Oui. C'est dégoûtant, on nous enferme comme des criminels.

— T'as grossi un peu ? »

Je vis un éclair de colère et de doute passer dans ses yeux gris.

« Tu sais, moi, ça fait cinq semaines que je suis là. Je voulais pas qu'ils m'aient. Et tout ce que j'y ai gagné... je t'assure, je ne suis pas avec eux, mais il faut que tu manges. Ce sont des cons et on n'y peut rien.

— Oui, j'essaie de manger, mais tout d'un coup, comme ça... »

Ah ! j'essaie, il ne faut pas essayer, il faut fermer les yeux, le cœur et ouvrir le plus grand possible la bouche.

« Combien tu en as à prendre ? Quoi ? Treize ? Mais c'est horrible ! »

Elle pesait trente-deux kilos pour un mètre soixante et devait atteindre les quarante-cinq.

« Tu viens toujours te laver à cette heure-ci ? Il faudrait qu'on se retrouve ici, le soir pendant qu'elle fait manger les autres, ou si tu préfères je peux venir te voir dans ta chambre, ils ne m'enferment plus à clef, toi non plus ? Ah ! ils n'ont pas utilisé la clef ?

— Non. Et le matin, tu viens à quelle heure ? Juste après les draps ? Le matin, on ne pourra pas se voir dans les chambres, il y a trop de monde, d'internes, de stagiaires, on risque de se faire prendre.

— Dépêche-toi, rentre en premier, j'entends ses talons ! »

Pourquoi en moi-même lui disais-je : « Mange, mais mange donc, dépêche-toi ! » C'était quelque chose de si fort, elle se détruisait comme je l'avais fait... En la voyant j'aurais voulu le lui crier mais qu'est-ce qui aurait pu l'atteindre ? Alors, c'était cela aussi qu'ils avaient ressenti lorsqu'ils me suppliaient d'avaler une bouchée ? Comment ont-ils fait pour ne pas me tuer ? Ils ont dû me mépriser, me haïr, me... Comment ont-ils fait pour ne pas s'énerver davantage ? Je comprends maintenant, mais il m'en a fallu du temps !

Je la vis traverser le couloir avec ses deux plateaux et ses talons aiguille, ils faisaient un bruit insupportable mais avaient au moins l'avantage de l'annoncer. Son petit chapeau ridicule sur la tête, son rouge à lèvres un peu trop voyant, son air décidé.

« Enfin, tu es devenue raisonnable. Tu vas avoir le droit de te promener un peu. De rejoindre les autres à l'atelier, de faire connaissance avec les enfants. »

Ne l'écoute pas, ne l'entends pas, pense à ce que je pense et n'entends rien ! Il ne faut pas qu'elle t'ait dans l'autre sens. Tu n'en as rien à foutre des conneries qu'elle raconte, ce n'est pas pour son « plaisir » que tu veux sortir !

Le soir, on me donnait des somnifères, trop de nourriture et trop de repos ne facilitent pas le sommeil. Au début, je ne voulais pas les prendre. Des Valium ! Les plus forts ! Puis après tout ils me faisaient dormir.

Le soir, c'était le plus terrible. Nous dînions tôt, vers six heures et demie, ou tard, vers neuf heures, selon l'emploi du temps des infirmières. Il faisait vite nuit dans ces chambres déjà sombres et cela ajoutait à leur sinistre. Je parlais, aussi souvent que possible, avec cette fille rousse qui refusait encore de manger. Ce qui m'étonnait c'est qu'elle n'était pas complètement anéantie comme je l'avais été. Je compris rapidement pourquoi.

« Tu as envie de rentrer chez toi ? Tu penses souvent à ta maison ?

— Non. Mon père, il boit tout le temps et il n'y a plus que lui maintenant. Ma mère a fait une dépression nerveuse à cause de ce sale ivrogne. Si je revenais, il me battrait, tu sais, il peut faire n'importe quoi.

— Tu vas aller en pension ?

— Ma mère dit que c'est trop cher.

— Mais... il faut qu'ils te trouvent quelque chose... Dis-moi, ton père ne t'a pas mise ici pour se débarrasser de toi ?

— Un peu. Mais tu sais, c'est la police qui est

venue me chercher après une visite médicale au lycée. Le docteur m'a auscultée et m'a dit que c'était très grave, qu'il fallait absolument que je rentre à l'hôpital tout de suite. Moi je croyais que c'était un hôpital normal ! Le lendemain, ils sont venus, ils m'ont emmenée comme une criminelle.

— Comment vas-tu faire pour t'en sortir ? Tu n'es pas motivée ?

— Non, mais je ne veux pas non plus rester ici. »

Sur les pots de yaourt, sur les draps, sur les serviettes, toujours ces mots : Assistance publique, Hôpitaux de Paris.

L'Algérienne m'avait appris qu'elle vivait dans cet asile depuis qu'elle avait cinq ans, que c'étaient ses parents qui ne voulaient plus d'elle. Mais pourquoi ? Peut-être justement parce qu'elle était folle... La petite fille aux yeux merveilleux qui s'appelait Patricia n'avait pas de parents... L'autre petite fille avec les chaussures orthopédiques avait vécu avant d'être ici dans une institution de bonnes sœurs et sa mère refusait de venir la voir... « Pavillon des enfants fous » ? « Pavillon des enfants abandonnés » ? Des mensonges, uniquement des mensonges...

Je les entends pleurer la nuit, je les vois errer dans ces couloirs jaunis, dans la seule salle qu'on a daigné leur donner et qu'ils appellent avec respect l'« atelier », je les regarde se tordre de convulsions sous les yeux indifférents des infirmières... Mais je ne ressens pas vraiment quelque chose. Sur le moment, mon cœur se retourne, j'aimerais les aider, et immédiatement je comprends la « stupidité » de cette impulsion, son inutilité. Je comprends aussi que mes peaux de fausse sensibilité sont loin d'être toutes tombées et que je suis profondément égoïste. Mais je ne peux pas faire autrement : je dois d'abord l'être pour ensuite pouvoir m'en détacher. Ce début de réflexion me fait découvrir ce que l'on appelle un « défaut » et je n'en veux pas !

Qu'est-ce que je voudrais ? Qu'on les console, qu'on les aide ? Personne ne peut le faire de la manière dont il le faudrait. Ces enfants ne veulent rien accepter, il faut les croire et agir envers eux comme si l'on se rendait un service à soi-même. C'est certainement très faux ce que je dis là : ils auraient alors l'impression de ne plus rien être, juste l'objet d'un désir inconnu, et ils n'essaieraient pas d'améliorer leur comportement envers quelqu'un qui se servirait d'eux comme d'un ustensile.

Je n'en sais rien, je dis certainement des énormités, n'est-ce pas ? Il y a des milliers de savants qui depuis des années font des milliers de « suppositions » et toi... Ces savants devraient posséder un équilibre neuropsychique tellement parfait qu'ils pourraient se permettre de devenir fous. Quand ils repasseraient de l'autre côté de la barrière ils se rendraient compte des souffrances qu'ils ont infligées et de l'incompréhension dont ils ont fait preuve. Mais c'est une hypothèse complètement folle, et puis je me fais des illusions, ils ne ressentent sans doute rien. C'est bien cela que l'on dit d'eux ? Je fais exprès de me montrer stupide. D'ailleurs « fou » ça ne veut rien dire, moi, je suis folle. Vous qui lisez, vous l'êtes certainement et eux, ils sont plus fous que vous.

Ce qui est insupportable, c'est que je ne cesse de douter de moi, de mes phrases. Lorsque je relis, ces remarques « c'est stupide », « c'est idiot », « je me trompe », elles m'exaspèrent. D'autant plus que j'aurais aimé poursuivre le raisonnement commencé. Il est évident que je ne le trouve pàs si idiot que cela, si je l'avais pensé tel, je ne l'aurais pas écrit. Alors, qu'est-ce que je cherche ? C'est exaspérant à lire, un peu comme quelqu'un qui vous parle et soudain s'arrête en plein milieu de son récit parce qu'il a pensé que celui-ci pourrait ne pas vous intéresser, parce qu'il doute brusquement de ses dons et ne sait pas accepter la maladresse ou la gaucherie. C'est ce qui m'empêche d'approfondir les choses entièrement et m'oblige à les laisser en suspens, dans un demi-mystère. A moins que ce ne soit la peur de découvrir leur vérité ? Car, à chaque fois je suis persuadée d'effleurer leur secret, et tout aussitôt leur échafaudage s'écroule dans mon esprit. Et je me dis : « Je ne fais que des suppositions impossibles ! »

C'est exactement le même mécanisme qui agit dans mes rapports avec les gens. Ils me prouvent leur amitié, moi la mienne, et puis pour un regard, un geste, une parole, je perds ma confiance, je sens un doute insupportable m'envahir : « Et s'il n'avait pas envie de me voir ? C'est moi qui le rends triste ? Si ce n'était pas moi, il m'en dirait la raison... » Si les autres ne me montrent pas à chaque instant qu'ils sont heureux que je sois là, que je ne les gêne pas, je me sens aussitôt ridicule, déplacée et je les quitte.

Je crois que mon plus grand défaut est de me fier à mon intuition car je ne sais pas l'utiliser. Est-ce un désir d'autodestruction caché ? C'est *parti, je me mets à parler comme eux! Cette phrase est encore une tentative de déviation. Ma pauvre, tu veux parler comme eux et tu n'y connais rien! Oh! il n'est pas nécessaire d'avoir fait des études pour connaître la signification de tels termes! Monsieur, est-ce que je souffre d'un complexe d'infériorité? Ou de supériorité refoulé? Pourquoi n'ai-je pas confiance dans mes pensées? Est-il vrai qu'à partir du moment où l'on sait, on peut, sans difficulté, modifier son comportement? Mais, malheureusement, je n'y crois pas.*

Ainsi le soir m'apparaissait comme le moment le plus terrible. Silence et brouillard. Dans ma maison, il y aurait des bougies et de la musique... Le lit toujours aussi dur, mon corps qui n'en finit pas de s'allonger, plus il s'endort et plus je le sens s'étaler et s'amoindrir. Je ne souffre pas de la solitude, elle me plaît; mais ce silence cassé quelquefois par un cri hystérique ou par un ordre intransigeant je ne le supporte plus! Il le faudra bien, tes sentiments... Tu n'as pas encore appris qu'ici ce mot n'existe pas! C'est toi qui l'as voulu! Non! Le somnifère ne me laisse pas le temps de réfléchir. Vous sentez une lassitude envahissante vous dominer, je ne peux pas résister. Vous entendez? je ne peux rien faire!

Le lendemain matin, j'eus la permission de prendre un bain pendant que les autres déjeunaient. C'était l'infirmière aux yeux verts qui était de garde, avec une aide, je me le rappelle maintenant : les premiers jours de la semaine, les deux infirmières étaient là, certainement à cause de la visite des médecins. Elle me conduisit dans le couloir, moi dans mon ridicule pyjama en éponge, mais quelle importance, ici je ne suis ridicule pour personne. Derrière les toilettes, il y a une petite porte que j'ai toujours vue fermée, elle choisit une clé dans sa poche. Minuscule salle de bain, un lavabo, une baignoire, et juste la place de se déshabiller. Des yeux, je sautai sur la fenêtre, mais sans espoir. Grillages, et ténèbres de l'autre côté, certainement une impasse. Elle attendit fermement que j'enlève mon affreux pyjama. Vous voulez voir mes os? Ils ne sont pas si saillants vous savez! Vous ne prenez pas mes vêtements? Précaution... Non, mais j'ai lu dans son regard qu'elle l'avait déjà fait. On ne peut pas s'enfermer de l'intérieur, mais enfin! c'est normal, où crois-tu être? Ils pourraient se noyer, se suicider, tu ne penses donc à rien?

Elle est venue me chercher en m'annonçant que mon somptueux déjeuner m'attendait. Je dus remettre mon pyjama après avoir abandonné la chaleur réconfortante de l'eau.

« L'autre anorexique a pris un bain avant toi. Elle avait oublié sa serviette, en allant la chercher, j'ai trouvé des tartines dans sa table de nuit. J'ai aussi regardé dans la tienne mais je savais bien qu'il n'y en aurait pas. C'est stupide de faire cela. »

Vous êtes drôle, vous! Rien n'est stupide lorsque les adultes agissent comme des bourreaux! D'ailleurs, vous vous y attendiez à trouver des caches... Vous la laissez seule et comme par miracle en votre absence elle a décidé de manger, vous êtes bête ou quoi? Et puis entre nous votre histoire de serviette, je n'y crois pas tellement.

118

La professeur de mathématiques avait le droit de venir me voir. Elle m'apportait souvent des tablettes de chocolat et suivait attentivement ma courbe sur le papier millimétré. Nous étions au milieu du mois d'octobre, j'en étais à trente-quatre kilos trois cent deux grammes. Ce qui signifiait que dans six cent quatre-vingt-dix-huit grammes j'aurais droit à une visite. Pas n'importe laquelle, évidemment on m'imposait celle de ma mère! « La pauvre femme, elle se morfond de ne pas voir sa petite fille. Tu l'as fait assez attendre il me semble. » Impossible, je ne voulais pas la voir, je ne le pourrais jamais... Mon seul moyen de défense, d'évasion, c'était le rêve. Je n'avais qu'à la faire entrer dans mon imagination, la transformer, ne pas écouter ses paroles, en inventer d'autres pour supporter sa présence. Faire comme avec les infirmières, ne pas l'entendre. En venant me voir, elle ne pense qu'à elle-même, elle croira ainsi qu'elle n'a pas égaré sa « chose », qu'elle pourra toujours dire : « Regardez comme elle est gentille, elle m'offre des fleurs. » Elle aura la satisfaction de croire qu'elle a pris en toute lucidité sa décision, son : « Je ne céderai pas. » Crois, ne te gêne pas, tu n'es déjà plus là, quand tu entreras je ne te verrai pas, je rêverai, je ferai semblant de te répondre, tu ne le sauras que plus tard, lorsque pour ne pas sombrer dans cet abandon, cette destruction, je n'aurai plus besoin de fantasmes.

Je n'ai même plus la force d'en vouloir à qui que ce soit, je suis seule. Maintenant je me suis rendu compte de cette hypocrisie, de ce charlatanisme qu'on nomme « amour maternel »!

Mon raisonnement était complètement faux. Il y avait vis-à-vis d'elle une autre possibilité : l'indifférence. Pour l'envisager, je la détestais trop. Cependant en la faisant entrer dans mon univers de rêves je n'entendrai pas ses sarcasmes, je ne m'apercevrai pas de son incompréhension ni de sa maladresse irrécupérable, j'oublierai son égoïsme pour imaginer quelque chose de mieux, de plus conforme à mes vœux, je lui donnerai une valeur qu'elle est loin de posséder. Ainsi je risquais de l'idéaliser, d'attendre d'elle quelque chose qui ne pourrait assurément jamais venir. Seulement, je ne pouvais pas penser tout cela, sinon en la voyant j'éclaterais inévitablement, je détruirais toutes mes chances de volonté intérieure, toutes les motivations que je m'étais soigneusement fabriquées et qui, je m'en rendais compte, étaient encore trop vulnérables. Alors j'adoptai la seule solution qui se présenta à mon esprit, la plus dangereuse, la plus lâche, la plus hypocrite : rêver. Quelle importance ? Je me défendais, par n'importe quel moyen. A vrai dire, je sais maintenant que j'aurais pu en choisir un beaucoup plus égoïste, beaucoup plus bénéfique et aussi beaucoup plus intelligent. Mais malgré moi il restait ces critères stupides d'éducation qu'on nous enfonce : « Il ne faut pas faire de peine à ta maman, il ne faut pas détester ta maman. » C'était fini, je n'avais plus de « maman », pourtant ces formules restaient ancrées en moi, sans même que j'en aie conscience. L'indifférence mêlée au mépris m'aurait définitivement détachée de ce monde « familial » dont je voulais pouvoir oublier l'influence. J'aurais pu le faire, casser tout et me retrouver face à un choix décisif, à une complète responsabilité envers moi-même. Au lieu de cela, j'adoptai la fuite, me réfugiai dans les rêves sans penser à l'infantilisme de cette solution assuré-

ment trop facile. On m'avait fait mal, pour le dis-
simuler j'essayais de jouer, mais je jouais mal,
comme une débutante à laquelle on n'a pas appris
les règles.

J'avais maintenant le droit de sortir et de m'ha-
biller. D'autres enfants étaient arrivés et le pavillon était moins désert qu'auparavant sans pour
cela en être moins sinistre. On avait envoyé les
deux jumelles dans une institution spéciale, c'était
ce que disaient les infirmières, mais tout dépen-
dait de ce qu'elles nommaient une « institution
spéciale ».
Il y avait une immense fille brune, elle mesurait
peut-être deux mètres. Avec son visage d'enfant
cela faisait un contraste frappant et presque anormal, d'autant plus qu'elle était coiffée et habillée
comme une gamine : queue de cheval et barrettes,
jupe écossaise et chaussettes. Ses yeux restaient
candides, naïfs et elle souriait toujours en rega-
gnant son lit dans le dortoir. Elle paraissait avoir
dix-sept ou dix-huit ans mais il était très difficile
de lui donner un âge, elle ne pouvait pas être plus
âgée, sinon on l'aurait mise dans le pavillon des
adultes.
Souvent j'essayais de demander aux infirmières
la « maladie » précise de telle ou telle fille mais
elles ne répondaient jamais, ce qui m'obligeait,
voulant découvrir la raison de leur internement, à
leur parler, à les approcher. Je savais que je ne
connaîtrais pas le nom exact de la « tare » mais ce
n'était pas cela qui m'intéressait, j'aurais voulu
qu'elles me racontent comment ça s'était passé
pour elles.
Une autre adolescente était arrivée le matin

même où j'eus la permission de sortir. Des infirmières la portaient sur un brancard, son teint était cadavérique, elle semblait être dans le coma, presque morte. C'était une tentative ratée de suicide par les somnifères, « tu avais mal calculé ton coup, ce doit être terrible de se réveiller vivante dans un hôpital lorsqu'on croyait ne plus jamais rien revoir de cette connerie de vie ». L'infirmière était obligée de la laver sur son lit, de l'emmener et presque de la porter pour aller aux toilettes, ce qui pouvait paraître risible car la malade était deux fois plus grande que la soignante. Sidérée, je restais, toute retournée, au milieu du couloir. Je m'en voulais de ne pas avoir pour elle le même regard que j'aurais eu pour un petit garçon opéré d'une appendicite ou des amygdales, leur mystère m'intriguait.

Maintenant lorsque j'allais dans l'atelier pour demander du papier à dessin et des feutres, il y avait deux éducatrices et deux fois plus d'enfants. A croire que la folie ça n'arrive jamais pendant les vacances.

L'éducatrice que je connaissais s'appelait Bénédicte. Elle était assez jeune, blonde, et me faisait penser à une fille qui enseignerait le catéchisme sans pour cela être timorée ou intolérante. C'était à elle que je parlais le plus souvent, elle me réservait les choses les moins abîmées et venait parfois dans ma chambre, je ne devais pas traîner dans les couloirs. Cette défense m'importait peu, la compagnie de ces enfants au bout de cinq minutes me faisait peur. L'autre éducatrice était sophistiquée, maniérée, et tricotait à longueur de journée des robes pour sa petite fille sans trop se soucier de ses « élèves ». L'une ou l'autre apportait quelquefois du rotin, des vieux bouts de ficelle, des vieux journaux, des magazines pour que les enfants s'en amusent; le soir il ne restait plus rien et les femmes de service balayaient ces débris. Je parvins même à me procurer de la peinture à l'eau et des feuilles de Canson résistantes, mais la plupart du temps, malgré ma curiosité, pas tellement obsédante, je restais dans ma chambre avec mes livres et mes papiers.

J'avais l'impression de ne jamais avoir autant mangé de ma vie et je croyais bien avoir dépassé les fameux trente-cinq pour le lendemain, je ne me doutais pas encore de ce que l'inconscient est capable de faire. J'étais redescendue à trente-trois et demi! Ils me laissèrent les livres et le papier et reprirent mes vêtements et le couloir. Comment pouvaient-ils faire cela? Pourtant ils savaient bien que je n'étais pas responsable, j'avais mangé, ils ne pouvaient dire le contraire. Je n'arrêtais pas d'engouffrer leur sale bouffe d'hôpital et tout ce qu'ils proposaient : « Il faudra forcer la dose! » J'en ai marre, je n'en veux plus, je vais tout laisser tomber, vous m'entendez? Que je me bourre, m'étouffe ou pas, c'est la même chose, je ne vais pas m'épuiser pour rien! Ils n'ont pas le droit. Ils s'en foutent pas mal de ma santé morale, de la physique aussi d'ailleurs, ils n'exigent que des kilos! l'écœurement, la merde, quoi! MERDE, merde, merde.

Comme toujours on m'avait pesée après le déjeuner, ensuite la femme de service allait laver par terre, et c'est un infirmier noir qui ouvrit la porte sur mes larmes et ma rage.

« Bonjour, c'est moi, Tony. C'est toi qui ne

manges pas ? Ah ! c'est pas bien ça ! Allez, arrête de pleurer.

— Je n'y peux rien si leur sale balance est truquée !

— T'as vraiment mangé ou t'as picoré trois morceaux de viande et deux haricots verts ?

— Non, j'ai mangé, tu n'as qu'à regarder le carnet !

— J'y manquerai pas. Dis, pourquoi tu manges pas ? ça sert à rien, tu sais.

— Mais maintenant je mange, ce n'est pas de ma faute si je ne grossis pas !

— Me fais pas rire ! Tu les as vues celles qui sont dehors ? Laides, moches, idiotes... La grosse, là, elle lève sa jupe à chaque fois que je passe, ça me dégoûte. Mais toi, pourquoi tu restes là, hein ? Parce que tu ne veux pas manger ? Regarde, t'es jolie et tout, tu vas pas rester là-dedans, non ? Je vais t'amener des tartines, tu vas les manger, hein, d'accord ? Me fais pas enrager, je vais me ramener avec de belles tranches de pain, une fois que je me serai cassé la tête à les subtiliser à la cuisine, tu n'auras pas le droit de me dire que t'en veux pas ! Je reviens dans deux minutes... »

Je ne savais plus qu'il y avait des gens capables de plaisanter, que je pouvais sourire, m'amuser de phrases comme les siennes entre le drame et le rire. Mais pourquoi insinuait-il que je ne mangeais pas ? Je finissais presque tout ce qu'elles me donnaient...

« Voici des merveilleuses tartines pour mademoiselle ! C'est marqué que tu manges sur le carnet, mais il faut tout finir et en redemander, tu ne grossiras jamais sinon. »

Mais j'en ai marre, moi, de ce jeu qui ne s'arrête pas ! je ne suis pas la poubelle ! J'en peux plus, j'en peux plus !

Une troisième anorexique était arrivée. Elle s'appelait Dominique. J'avais pu la croiser dans le couloir, très grande, transparente, jolie. On lui donna la dernière chambre libre et évidemment l'enferma. Mais on ne peut pas empêcher les gens de se parler n'est-ce pas ? Comme ils ne fermaient pas à clef la porte du sanctuaire, pendant que l'infirmière était partie aux cuisines préparer les plateaux, je suis allée la voir dans sa chambre. Elle a pleuré, mais ne veut pas le montrer. Je lui ai apporté un livre, parce que je sais qu'on les lui a tous pris. Elle a été soulagée de trouver une autre personne dans sa situation. J'ai pensé que Christine, la rousse, était toute seule et je suis allée la chercher. Devant leurs méthodes que nous jugions évidemment indignes et traumatisantes, nous nous révoltâmes mutuellement.

« Ils ne m'avaient pas dit que ce serait comme ça !

— Tu penses, s'ils le disaient...

— Tu sais pourquoi tu as fait ça toi ?

— Non ! »

Q'est-ce que j'attendais ? Moi, je n'ai pas encore trouvé, je voulais peut-être qu'elle réponde : « C'est parce que... » Comme si on pouvait répondre par une phrase à toute cette lente destruction, à un refus aussi complet.

« Remarque, moi, j'en avais marre de mes parents. Mon père criait, ma mère pleurait, ils voulaient me faire prendre des fortifiants, dans leur dos je les jetais.

— Moi aussi je les jetais.

— Oui, moi aussi. Je disais que je n'en avais
pas besoin, que je n'étais pas malade.

— Et puis tout le monde me demandait ce que
j'avais. Surtout que je vis à la campagne, alors
vous pensez... »

Elle disait cela d'une voix triste et désespérée,
comme perdue.

Non, tu n'es pas perdue, il faut seulement céder,
tu as de la chance de n'être pas arrivée en premier, je vais te prévenir de leurs ruses, de toutes
leurs ruses. Maintenant, à trois, ça va être facile :
on mange en même temps, bien sûr chacune dans
notre chambre, on ira à la pesée ensemble, on
pleurera ensemble...

« Je mangeais plus rien du tout.

— Moi, une demi-rondelle de tomate pour un
jour. Ou alors une bouchée entière de pomme
pour quatre jours. »

Mais pourquoi, bon Dieu ! avais-je envie de
crier : « Vous êtes con ! » Pourquoi ?

Non, c'est nous qui avions raison, seulement il
n'y a pas de justice pour nous accorder le droit de
mourir... de faim. Ce sont eux qui ne peuvent pas
comprendre, ils nous enferment et nous ouvrent
la bouche comme à des oies, ils nous écrasent par
un orgueil qui n'admet pas leur ignorance. Et
pourtant ils n'ignorent pas notre raisonnement :
« Je fais semblant de plier, mais après vous verrez, je m'en paierai des journées de jeûne et je ne
me laisserai pas reprendre, j'ai compris, vous ne
pourrez plus m'avoir ! » C'était également tout
cela que je lisais dans les yeux de ces filles, dans
leur air résigné, mêlé à une rancœur insoutenable,
un besoin de vengeance destructeur. Et vous ne
pourrez pas toute notre vie nous forcer à bouffer
votre poison !

« J'y arriverai jamais, tu te rends compte! treize kilos! Ils sont infects. Et puis comment peut-on reprendre le goût de vivre dans une... dans un « asile », dans une maison de fous, dans leurs salles de bain à cafards et leurs chambres sans lumière!

— Je ne sais pas si c'est cela qu'on appelle « psychologie » mais c'est du stalinisme, du fascisme, du...

— Non, ne pleure pas. Tu sais, il faut sortir et après on fait ce qu'on veut. Arrête de pleurer, je vais m'y mettre aussi... »

Quelqu'un de sensé, enfin, après bientôt six semaines d'isolement, de souffrance... « Il faut sortir et après on fait ce qu'on veut. » C'est cela qu'il aurait fallu me dire pour m'empêcher de pleurer. La certitude d'avoir la possibilité de retrouver sa liberté et le libre usage de son corps...

« J'entends ses talons, on te laisse, on reviendra te voir aussi souvent que possible, il n'y a que cela qui pourra nous aider, ils n'y comprendront jamais rien. A demain. »

Heureusement, nous savions marcher sans bruit et sans nous faire voir; l'infirmière s'apprêtait-elle à prendre notre couloir que déjà nos portes se fermaient sur notre impuissance.

« Alors, j'espère que tu vas manger. J'ai vu que tu as maigri. »

Rien que pour cela j'ai envie de te lancer ton sale plateau à la figure! Ta purée pâteuse et bourrative atterrirait sur tes yeux, tu n'y verrais plus, ce jambon ou plutôt ce gras luisant qui suinte te brûlerait la peau... Je te déteste!

« Allez mange, au lieu de pleurer, c'est pas comme ça que tu vas rattraper ce que tu as perdu! »

Sale conasse, sadique, je ne peux pas manger, mes sanglots me bloquent la gorge, mais je l'avalerai tout de même ton mélange infect. T'en as rien à foutre de me rendre malade, ce n'est pas toi qui es enfermée, tu ne m'auras pas, je veux pouvoir me retrouver, je m'en fous...

Ma main tremblait en prenant la fourchette, mon cœur se retournait, je les déteste. Non, je ne peux pas retrouver mon rêve, il y a cette geôlière qui me sourit en me regardant déglutir : vingt secondes pour parvenir à avaler une cuillerée de purée! mes larmes m'étouffent en même temps que les patates dégueulasses. Peut-il exister des gens aussi infects? Comment mon estomac va-t-il garder tout cela, toute cette haine que je ravale avec un peu de gras et un peu de riz collé? Comment supporter cette humiliation, cette punition que l'on n'a pas méritée? Il faut que tu le finisses, il faut que tu les oublies, il faut que tu t'en sortes, il faut... C'est facile à dire... Je regarde le morceau de pain qu'elle veut me faire manger, une espèce de croûte rassise :

« Il fallait le manger avec la purée, ça serait mieux passé. »

Ne pas répondre. Je n'en peux plus.

Si j'avais eu un canif, j'aurais été me couper les veines dans les toilettes à cafards qu'on ne peut même pas fermer...

« T'es sûre qu'elle est partie?

— Oui, y a la fille qui est arrivée hier qui s'est trouvée mal, elle est partie demander du renfort.

— On va chercher Dominique pour aller se laver?

— Elle l'a enfermée à clef parce qu'elle n'a pas fini son plateau. »

Sinistre couloir, l'infirmière est sortie, Isabelle a volé les bonbons de la petite Patricia et rit méchamment en les mangeant tandis que l'on entend des cris désespérés. La crème au chocolat remonte dans mes narines, non, tout ça pour rien, non, je ne veux pas... Non, je ne veux pas garder leur sale bouffe, c'est parti, c'est sorti par le nez, par la gorge, par tous les pores de ma peau et de nouveau je me retrouve sur mon lit, secouée par les sanglots, incapable de réagir. Il faut que je retrouve mon rêve.

7

Le lendemain, je repris ma volonté et mon calme. L'infirmière du matin m'avait fait un discours stupide mais j'avais décidé de ne plus écouter que moi.

« Si tu n'acceptes pas le fait de manger tu vas vomir indéfiniment. Ce qui ne te servira à rien, on ne te laissera pas sortir. Ça t'écœure encore ? N'y pense pas, pense à autre chose. »

Elle se fout de moi.

Il ne faut pas l'entendre, seulement bien mastiquer et essayer de retrouver mon rêve. Tony m'apporta sa joie et une sorte de pain au chocolat un peu moins repoussant que les tartines.

« Tu peux aller voir Dominique à côté, l'infirmière est partie, je viendrai te prévenir quand elle reviendra. »

Reconnaissance éternelle. Dominique était à peu près dans le même état que moi.

« T'en fais pas, à deux on y arrivera. »

Je délaissais Christine, j'avais compris qu'elle ne sortirait pas avant un certain temps. Mais qu'est-ce que nous pouvions y faire ? Je me rappelais mon entêtement, et puis pour elle, « dehors » ce serait pire. Dans les lavabos, elle m'avait dit :

« Tout plutôt que ma sale baraque. » C'est peut-être aussi ce qui m'avait obligée à vomir.

« Tes parents s'entendent bien, toi ?

— Oh ! oui. Ils se disputent jamais. Ils tiennent un restaurant. Mes sœurs aident à la cuisine, moi aux tables quand je suis en vacances. Ils n'arrêtent pas de plaisanter. Je voudrais les voir.

— Tu ne leur en veux pas ?

— Non, ils ont fait tout ce qu'ils pouvaient, et puis c'est pas de leur faute si on nous « soigne » comme ça, ils ne pouvaient pas savoir.

— Tu les aimes bien, tes parents, tu te disputais jamais avec eux ?

— Oh ! non, je les adore, ils étaient merveilleux avec moi. »

Je joue au psychiatre ou quoi ? Non, mais j'éprouve un certain plaisir, leurs hypothèses tombent à l'eau, leurs : « ça arrive quand le père n'est pas là, quand la mère est trop protectrice, quand la fille est intelligente et jolie, quand elle refuse sa féminité... »

« Je mangeais pas parce que je me trouvais trop grosse, et puis après, je ne pouvais plus m'en empêcher même en voyant mes os. Mais je ne veux pas le dire aux médecins, ils se moqueraient de moi ; alors je dis que je ne sais pas. »

C'est donc pour ça qu'ils retirent les miroirs, ils ont peur qu'on voie les dégâts que peut faire leur poison. C'est donc pour ça qu'ils insistent toujours : « Tu te trouvais trop grosse ? » Ce serait tellement facile...

A la pesée suivante, j'avais repris du poids. L'infirmière, sadique, faisait remonter la courbe, marquait avec des gros points au feutre noir le chiffre exact. Dominique avait pris cent grammes, cent grammes... Christine avait perdu deux cents gram-

mes. Tout cela me paraissait tellement mesquin.
J'entendais les interminables phrases d'Isabelle :
« Madame, s'il te plaît, donne-moi une tartine,
madame, je voudrais une tartine, s'il te plaît,
madame, donne-moi une tartine, je voudrais une
tartine... » Lorsque les infirmières s'absentaient
une minute, c'était l'invasion dans ma chambre.
La géante au visage d'enfant s'appelait Brigitte.

« Je viens te voir parce que tu dois t'ennuyer
toute seule. Ma maman, elle va venir me voir
demain. Personne est gentil avec moi ici, toi, tu
n'as pas l'air méchante, ma maman vient me voir
demain, elle est gentille ma maman, elle est gentille ta maman, elle vient me voir demain ta
maman, ma maman... »

Ses yeux se perdaient dans le vide du mur,
j'étais un peu effrayée, anéantie surtout, je n'arri-
vais pas à comprendre ou je ne voulais pas accepter qu'il n'y avait rien à comprendre.

L'Algérienne passait le plus souvent possible,
elle se montrait parfois très méchante.

« Tu vas voir, je vais pas me laisser faire, j'ai de
la force, si elle vient m'embêter, tu vas voir. Tu
manges au moins, maintenant ? Ce soir, y a des
mille-feuilles au dessert, j'en ai eu deux et peut-
être que je vais arriver à voler celui de l'infirmière... ils sont vachement bons... »

Ils se révélaient être affreux, remplis d'un semblant de crème bourrative et décolorée.

« Je reviendrai te voir ce soir, mais il faut que
je m'en aille, y a un film à la télé et puis Isabelle
doit être en train de fouiller dans ma table de
nuit. »

Je n'écoutais plus, je me plongeais dans les
phrases des livres, mais rien ne me touchait,
j'avais l'impression de ne pas exister.

132

Ce soir-là aux lavabos, je rencontrai la suicidée ratée. Pâle, elle semblait avoir des difficultés à se laver, comme si tous ses membres avaient été engourdis. Je lui demandai si ça allait, si elle se sentait bien. Elle me regarda avec des yeux tristes et vides, un regard qui disait : « Je ne peux que me sentir mal, j'ai le mal de vivre et c'est un crime. »

« Où est mon dentifrice, qui m'a pris mon dentifrice, dis-moi où il est mon dentifrice, je veux mon dentifrice, c'est toi qui l'as mon dentifrice, donne-le-moi, mon dentifrice. »

Cette grosse fille m'attrapait les mains et me criait cela dans les oreilles, elle se tordait les bras et répétait inlassablement sa prière, exaspérante et obsédante. Son contact me repoussait, je m'enfuis en courant dans ma chambre, tremblante, dégoûtée. Tu n'es qu'une fille méprisante, peureuse, tu n'aimes pas le contact des peaux moites et sales, les peaux de fous...

« Rends-moi mon dentifrice, elle m'a pris mon dentifrice, je veux mon dentifrice... »

Elle se précipita dans ma chambre et s'arrêta net dès qu'elle en eut franchi la porte. Elle riait nerveusement, toujours de ce rire agressif, les mains contorsionnées, les yeux méchants. Elle vit le livre posé sur la table, l'attrapa et commença à le déchirer.

« Rends-moi mon dentifrice, je veux mon dentifrice, elle m'a pris mon...

— Isabelle, sors de là, tu vas là laisser tranquille, oui ? Regarde ce que tu as fait, il est tout déchiré ! »

Pour une fois, elle arrive au bon moment celle-là ! Terrée entre la table de nuit et le lit,

tremblante, je pleurais. Petite fille distinguée...
je ne m'y ferai jamais.

Cette nuit-là, je fis un cauchemar affreux.
C'était moi qui criais : « Rends-moi mon dentifrice, je veux mon dentifrice... » Affreuse et folle,
grosse et livide, j'étais devenue cette fille horrible
et repoussante. Je me réveillai sanglotante d'horreur et de honte, de peur aussi : allaient-ils me
faire devenir ainsi ? me laisseraient-ils jamais sortir de cette infecte écurie ? Une araignée m'a frôlé
le bras tandis que je me lavais, j'ai crié de terreur,
de désespoir et de révolte.
Une « nouvelle » arriva le jour de la pesée, juste
avant que l'on m'emmène dans la nursery avec les
autres « anorexiques ». Elle avait fait une dépression nerveuse, j'ai croisé sa mère dans le couloir
pleurant égoïstement.
« Ma pauvre fille, quand est-ce que je pourrai la
voir, laissez-la-moi encore deux minutes, je ne lui
ferai pas de reproches.
— Non, madame, rentrez chez vous, on va la
soigner, ne vous inquiétez pas. Elle vous reviendra
sereine et reposée, gentille, adorable. »
Entendez « bourrée de calmants et d'euphorisants ». La fille en question sanglotait convulsivement en criant :
« Je veux voir le docteur, donnez-moi le
docteur... »
Dominique me lança un regard de désespoir
mais aussi de pitié qui me révolta. Elle n'avait
pas encore compris qu'ici la pitié ne doit pas
exister.
La balance marquait trente-quatre kilos neuf
cents. L'infirmière nota trente-cinq sur sa fiche,

avec sur son visage l'attente d'une reconnaissance éternelle. Je te déteste! On téléphona à ma mère deux minutes plus tard afin qu'elle vînt immédiatement. Ce n'est pas la peine qu'elle se presse... ça allait être terrible... Non, c'est vrai j'avais retrouvé une partie de mon médiocre rêve, ne pas se fâcher, ne pas crier, ils me prendraient pour une hystérique et m'administreraient des calmants.

J'entends des pas dans le couloir, l'infirmière entre et m'annonce d'un air fier et suffisant : « Ta mère. » Une femme bronzée, maquillée, toujours avec son sourire figé et vraiment par trop forcé. Elle m'examine comme une bête curieuse, je sens son regard s'infiltrer sous mes vêtements, se promener sur mon corps, pour constater l'amélioration de mon état. Je la déteste! Se penchant vers moi, elle me prend les mains, nerveusement. « Elle te plaît ta sale chose qui t'empêche de dormir? » Non, je ne dirai rien. »

« Alors ma chérie, ça va? »

Sans le « ma chérie » c'est la même voix que celle de cette doctoresse. Je ne peux plus, ça essaie de me percer les os des côtes... Merde, je perds encore, ça sort, ça éclate comme une bombe retournée contre moi.

« Ne pleure pas... Tu n'es pas contente de me voir? »

Evidemment, je ne devais pas m'attendre à ce qu'elle comprenne. Je crois que je n'ai jamais autant détesté quelqu'un de toute ma vie.

« Tu te rends pas compte comme tu me fais de la peine. »

Allez, entame ton monologue plaintif. Continue... Je me calme un peu, ai-je donc oublié mon rêve? Non, elle s'infiltre dedans comme une sale vipère, je suis obligée de l'accepter sinon tous mes fantasmes s'écroulent, si je ne l'accepte pas, elle va tout détruire, perfidement.

Silence. Non, ce n'est pas moi qui parlerai la première.

« Ah! quelle peur ils m'ont faite! Mon patron m'appelle à neuf heures dix et me dit : « C'est « l'hôpital, on vous demande d'urgence. » Tu parles... Alors j'ai pris un taxi... Quelle...! »

Tu n'avais qu'à y rester dans ton cher bureau. Non, ne t'énerve pas, ne l'écoute pas, tu verras avec un peu d'entraînement, tu ne l'entendras même plus. Puisqu'elle est là, autant qu'elle te serve à quelque chose, demande-lui de t'amener des choses décentes à manger. Je ne sais pas quoi, des biscuits, du chocolat, des trucs qui font grossir... Et espère qu'elle ne soit pas en train de suivre un régime, sinon tu vas te faire mal recevoir. Non, elle n'oserait quand même pas!

« Alors, tu n'as rien à me dire d'autre? »

Qu'est-ce qu'elle veut que je lui raconte? Ce que j'ai vu ici? Les araignées, les cafards, les filles folles, le silence, la souffrance. Elle ne sait pas écouter, elle regarderait de combien de centimètres se sont épaissies mes hanches avec un air révoltant de propriétaire.

« Amène-moi quatre fois plus de choses que pour une personne normale. Deux fois pour moi, et deux fois pour ma copine à côté.

— Bien. »

Sa mine décontenancée me satisfait mais elle s'efface très vite pour faire place au plaisir de savoir que tous les choux à la crème, toutes les glaces au lait qu'elle m'apportera, je ne les jetterai plus. Sans compter les paquets de petits-beurre et les tablettes de chocolat « aux noisettes parce qu'il y a des vitamines », ça me retourne déjà le cœur...

« Ta grand-mère te dit bonjour. »

Non, je ne pourrai jamais le supporter, j'en ai rien à foutre de ma grand-mère, je m'en fous ! C'est vrai, il ne faut pas que je me fâche, cela ne sert à rien d'essayer d'expliquer des choses aux gens idiots, ce n'est pas de sa faute si elle ne peut pas comprendre.

Ne surtout pas se fâcher, ne surtout pas essayer d'expliquer, ne surtout pas... Ne rien faire, ne plus la voir, ne plus l'entendre. Perfidement sa voix me perce les tympans. Ce n'est peut-être pas sa faute si elle est idiote mais la méchanceté... Des larmes au coin des yeux, elle est émue, la pauvre... Il faut bien qu'elle se fasse son petit cinéma, qu'elle fasse semblant de m'aimer : « Ça m'a tellement fait plaisir de voir ma petite fille. » Elle ne pense qu'à elle. Si elle m'aimait, elle ne serait pas venue me parler de ses migraines nocturnes, d'une grand-mère, d'un bureau... Elle peut pleurer, elle n'arrivera jamais à m'atteindre, j'en ai trop versé des larmes. C'est risible, cette femme qui joue mal sa petite comédie, qui apaise sa conscience : Si je ne me fais pas de souci, je ne suis pas une mère. » Non, elle ne l'a jamais été et ne le sera jamais. C'est juste une femme n'importe laquelle, je dois la trouver gentille parce qu'elle m'apporte des paquets de biscuits...

« Je ne viendrai pas tous les jours parce que avec mon travail... »

Voilà, elle a rempli son devoir, elle est venue voir sa « chose », maintenant, elle peut partir sans scrupules et même avec l'orgueil d'avoir mis sa fille entre de bonnes mains. « Oui, ils la soignent bien, elle m'a demandé de lui apporter à manger, elle n'est pas trop déprimée, non, vous savez, j'ai choisi un hôpital propre et joli... » Elle prépare déjà ses phrases pour l'amant qui l'attend à la sortie, elle prépare sa défense et sa plaidoirie de « non-coupable ».

Ils n'ont aucun respect ! Ma mère vient à peine de franchir la porte verrouillée des infirmières que le voilà, ce débile, ce grand fou échevelé avec ses grosses lunettes de complexé et ses questions toutes préparées.

« Alors comment ça s'est passé ? »

Tu le sais bien, tu voudrais que je me mette à pleurer et à me plaindre comme un vieux déchet sans pudeur ? Tu peux toujours attendre, même le carrelage est plus intéressant à observer que ta sale gueule !

« Hein ? »

On ne vous a donc pas appris la politesse, ce n'est pas parce que j'ai treize ans ! Je les aurai dans une semaine dans cet asile... ce n'est pas pour cela que vous avez le droit de me dire avec ce mépris et cette fausse magnanimité : « Hein ? »

« Ça t'a fait plaisir de la voir ? »

Il enfonce le couteau dans la plaie... je ne répondrai pas, il ne faut pas que je m'énerve, ça va me faire perdre cent grammes.

« Tu n'as toujours pas tes règles ? »

Il veut me gêner ou quoi ? Il se sent supérieur parce que lui, il ne peut pas les avoir ces sales règles de bonne femme ? Mais il en faut plus pour me choquer ; en tout cas, ce n'est pas la vulgarité qui le peut. D'ailleurs, j'ai la tête d'une grenouille de bénitier, moi ? D'une punaise de sacristie ?

« Tu aimerais les avoir ? »

Ça vous soulagerait si je vous répondais. Hein ? Non, je ne dirai rien. D'ailleurs, vous savez bien que je veux être un « mec » sans toutes ces conneries de seins, de futilités et de règles, ça fait partie de vos théories, n'est-ce pas ? C'est dégueulasse, ce sang, le même sang qui coulait sur les jambes de cette grosse fille, celle qui se balançait et se caressait... vous ne trouvez pas ? si, bien sûr, et vous avez raison. Moi, je veux être comme un garçon, sans poitrine, sans ovaires... mais sans sexe non plus... ça fait mal quand on se cogne... et je ne veux surtout pas respecter vos lois. Vos règles, je ne les aurai jamais, il y a bien des femmes qui n'en ont jamais eu, elles au moins, elles ne font pas d'enfants... pour les enfermer dans les asiles ou les jeter dans un monde qui les condamne inévitablement. Seulement je ne vous le dirai pas !

« Alors ? »

Je suis très en colère car je corresponds à tous vos symptômes : travaille bien en classe, pas de règles, pas de père « à la maison », une mère « protectrice », etc. Pourtant ça ne peut pas coller, il y a aussi des garçons qui font des « anorexies », l'infirmière a fait une gaffe en essayant de me convaincre : « Dans l'autre pavillon, il y a un garçon qui est resté quatre ans en s'entêtant comme toi... »

Alors, qu'est-ce que vous en faites de votre refus de féminité, hein ? Vous avez l'air malin !

« Ton père va venir dans quelques jours. »

Qu'est-ce qu'il fait ici ? je le croyais perdu dans les neiges du Canada.

« Il est revenu de son voyage, on lui a demandé de venir. »

Décidément, ils ne m'épargneront rien, ils poussent la torture à son paroxysme. J'entends cela d'ici... Non, il faut en rire, après tout ne sont-ils pas ridicules ces « adultes » ? tellement, davantage que seulement ridicules... D'ailleurs, je n'ai pas le choix, et puis je ne veux pas qu'ils me fassent mal, je veux qu'ils n'aient aucun pouvoir sur moi... Comme tu te trompes, tu les détestes et ça suffit pour qu'ils puissent t'atteindre, te blesser... J'ai lu un peu d'exaspération dans son regard et elle m'a agréablement soulagée. « Merde, dire que je suis obligée de venir voir cette sale môme muette, je pourrais aller draguer l'interne de l'autre pavillon... » Vas-y, ne te gêne pas pour moi...

Mon rêve était pourtant devenu solide, mais leur bêtise est tellement agressive... Un parent, ça ne suffisait pas... ils ont également fait venir l'autre. Lui aussi va jouer sa comédie, elle sera plus intelligente, plus subtile. Mais je ne me laisserai pas prendre, je n'ai pas le même genre de stupidité qu'eux.

Il viendra peut-être avec cette fille au visage laid mais au corps jeune, celle qui me trimbalait derrière elle à Bruxelles en regardant les hommes pendant que je mangeais des glaces à la terrasse du café. Ou...? oh! non, ils n'oseraient quand même pas faire venir mes parents ensemble... Quelle importance, ce ne sont que des gens parmi les milliers que je dois supporter, leur tare est qu'ils voudraient que je les considère comme des êtres uniques, exceptionnels. Mais ça ne prend plus, ce sont de vulgaires personnes. Ils marchent dans la rue le regard indifférent et ils viennent me dire : « Je me suis fait du souci pour toi. »

Je les déteste autant que « ceux-là ».

Du premier lit du dortoir, on pouvait voir la cour... Feuilles d'automne aux couleurs de mort, désert coupé par le sinistre bâtiment fin et long du couloir. Je n'ai pas le droit d'aller me promener dehors, seulement celui d'aspirer l'air fétide de leur hôpital, celui de bouffer et de me taire. J'ai l'impression que mes poumons se sont rétrécis, que mon cœur s'est resserré et qu'il ne veut plus rien laisser l'effleurer... J'aurais voulu rêver long-temps devant ces feuilles de marronniers. La grande fille blonde était un peu rétablie et montrait une gaieté trop exubérante... Cachets? Elle criait après les autres enfants qu'elle arrivait à considérer comme les pensionnaires de n'importe quelle institution. Son lit était jonché de magazines, de papiers de bonbons et de maquillage.

Rangées de lits blancs, de sinistres tables de nuit droites et austères... Brigitte était allongée sur son lit, les jambes découvertes, son corps lourd creusant un trou dans le matelas. Je m'approchai d'elle pour lui dire bonjour. Un gros baiser mouillé dont le contact me fait frissonner.

« Ils sont tous méchants avec moi, ils se moquent tous de moi. L'Algérienne, elle vient m'embêter tout le temps. Dis, tu m'aimes bien toi? Y a que toi que j'aime bien ici, tu es mon amie, hein? Tu te moqueras pas de moi? »

Je dois être drôle à regarder. Sourires un peu méprisants ou moqueurs d'enfants fous... qu'est-ce qu'ils signifient? Mes yeux errent sur le seul domaine qu'ils ont jamais eu le droit de posséder : un lit blanc et haut, une table de nuit... ils accrochent leurs dessins au-dessus de leur territoire qu'ils défendent avec toute leur énergie... La fille aux ongles laqués s'est installé une sorte de coif-

feuse en posant une glace sur le plateau de fer-
blanc, elle a mis des fleurs en papier autour et se
regarde amoureusement entre le domaine de
Patricia et celui de l'Algérienne. Chacune s'affaire
pour ranger ses trésors, parle toute seule,
annonce les prochaines visites, les prochaines permissions... « si tu es raisonnable on te laissera
aller chez tes parents samedi et dimanche »... « le
docteur l'a supprimée puisque tu as pleuré toute
la journée, tu ne veux pas être raisonnable... on ne
veut pas que ta maman te voie dans cet état ».

Je ne sais pas ce que j'éprouve, peut-être une
rage, un écœurement, de l'effroi, je ne sais plus.
En cachette, j'apporte à Dominique, lorsque les
infirmières vont chercher les plats à la cuisine,
des crayons de couleur et du papier. Elle ne pleure
plus, elle a de l'espoir.

« Ce n'est pas si difficile de manger, et puis je
pense que c'est grâce à cela que je vais sortir et
revoir mes parents. Ils seront tellement heureux
de me retrouver guérie... »

Moi, je ne comprends pas. Pas de colère, de
rage, de révolte. Non, on ne lui a même pas donné
de médicaments... Comment fait-elle ? Sur elle
leur méthode a marché, pour un temps seulement,
je l'entends dans ses paroles, je le lis sur son
visage, après, elle redeviendra maîtresse de son
corps, et alors...

« Ma mère, elle pleurait dès qu'elle regardait
mon assiette. J'avais beau en donner au chien, en
mettre dans les serviettes, en jeter pendant qu'ils
allaient ouvrir aux clients... »

Elle se tait, mais je sais qu'elle pense : « La
prochaine fois je serai plus maligne. »

« Un jour, j'ai eu peur. Je ne pouvais pas me
lever, ça tournait, ça n'arrêtait plus, j'avais des

fourmis dans tout le corps et j'étais incapable de bouger. Je l'ai caché parce qu'on m'aurait envoyée chez le médecin... »

Mais pourquoi? et tout ça pourquoi? pour se retrouver dans un asile? Et puis pourquoi cette exaspération envers elle? alors que, moi, j'ai fait la même chose et pire : m'entêter pendant un mois? Il ne faut pas essayer de comprendre, seulement penser à sortir, et ne rien voir d'autre... Tous ces enfants tarés... et tu fais des caprices, tu ne veux pas manger, c'est de ta faute, tu n'as qu'à t'en sortir toi-même maintenant... Je ne pourrai pas, c'est trop dur. Tais-toi! Tu as dit que la pitié n'existait pas ici, tu es seule avec toi, débrouille-toi, tu es seule... Je ne veux pas de pitié, seulement... Tais-toi tu n'as rien à attendre, je te l'ai dit, tu es seule...

« Tiens, je t'ai apporté des crayons. Dans deux jours j'aurai des trucs à manger plus appétissants, enfin, j'espère.

— Mais toi?

— Ne t'en fais pas, même à deux, on en aura trop. Tu as parlé aux médecins?

— Ils n'arrêtent pas de me poser des questions sur mon enfance. Ils croient que j'ai fait ça parce que mon père m'a donné une claque quand j'étais petite... »

Est-il possible de voir les choses de cette façon? Mais pourquoi ne lui a-t-elle pas balancé un coup de pied dans ses belles lunettes? Et moi, pourquoi ne l'ai-je pas fait? Non, nous sommes coincées, ils nous enfermeraient pour hystérie agressive.

« J'avais volé un camembert dans la cuisine et il en avait besoin pour des clients très importants, il était énervé, il m'a arraché le camembert et battue. C'était la première fois, il n'a jamais recom-

mencé. Ce n'était pas de sa faute, il était énervé...
J'ai pleuré pendant deux heures jusqu'à ce qu'il
vienne me consoler. »

Alors, c'est pour cela qu'on peut vouloir mourir ? Ils nous prennent vraiment pour des faibles
d'esprit, pour des débiles, pour des folles...

Mais pourquoi lui pardonne-t-elle cette gifle ?
Un vrai père ne bat jamais ses enfants ! C'était de
sa faute à elle ? Les adultes ne savent pas se plier
aux règles, ils s'amènent avec leurs grosses mains
plus fortes et vous font taire. Cela va plus vite que
les paroles, c'est moins fatigant et plus efficace.
Pourquoi donc font-ils des enfants ? Pour les montrer aux voisins ? Pour recoller leur couple dés-
uni ? Pour avoir une « chose » bien à eux ? Pour
s'assurer une retraite ? Vous me trouvez horrible ?
Regardez les familles, les mères dans le métro, les
grand-mères qui n'ont plus qu'« eux » au monde.
Vous trouvez qu'ils les aiment ? Ou qu'ils leur sont
utiles ? Cessez donc de mentir !

« Tu viens me voir pendant la sieste ?

— J'essaierai mais je ne suis pas sûre... A tout à
l'heure. »

C'est encore plus terrible que d'être complètement enfermée, ces sales geôliers vous font des
faveurs, tu peux sortir te promener entre les grilles, devant les cellules des autres prisonniers, tu
peux regarder dans la cour à travers les vitres, tu
peux... Taisez-vous ! je reste dans ma chambre, je
ne veux pas les voir, personne ne m'intéresse, rien
ne peut m'intéresser. C'est ce que vous vouliez,
non ? On vous donne un droit, mais juste celui
que vous n'aurez pas envie d'utiliser...

Il y a un professeur de dessin qui est venu me
voir. Pourquoi trouve-t-il ça normal qu'on m'ait
mise là, il me trouve donc folle ? En tout cas, il

144

aime bien les dessins des fous, il veut exposer les miens dans la grande salle.

« Ça ne va pas, non ? Vous croyez qu'après ce qu'ils m'ont fait je les laisserai encore dire : « Regardez, c'est notre petite anorexique, elle des-« sine bien, hein ? » Vous me prenez pour qui ?

— Je ne t'oblige pas. Seulement cela aurait fait bien à côté de tous ces dessins de débiles.

— Cela aurait fait bien ! Un asile, ce n'est pas fait pour faire bien ! Et puis raison de plus, je ne veux pas mêler mes dessins à ceux des fous ! »

Il a peut-être cru toucher mon orgueil ?

Est-il possible que les gens soient aussi peu psy-chologues ? Je regarde en pleurant mon arbre, il a trop de feuilles, trop de racines, je ne savais pas exactement comment dessiner les marrons parce que de si loin, on ne peut pas les voir, alors je n'en ai pas fait. Un marronnier sans fruits c'est plus joli d'ailleurs, moins lourd.

Elle arrive avec ses petites lunettes de myope qui cachent à moitié ses yeux verts, elle pose le plateau et s'assied sur la chaise rouge. Mes yeux me font mal, mais elle ne voit rien, elle rit en disant qu'aujourd'hui c'est délicieux. Mon cœur tourne toujours autant mais j'ai appris à ne plus y faire attention, d'ailleurs il faut bien que je lui apprenne à se tenir convenablement, n'est-ce pas, cœur à roulettes ?

« Il fait froid aujourd'hui, ma fille a attrapé une angine. (Silence, elle me regarde manger.) Alors, c'est bon ? »

Je pense qu'aujourd'hui j'ai treize ans, le jour de tous les saints. Ce serait un bon moment pour se tuer, vous ne trouvez pas ? Je lui dis que ses épinards enduits de beurre m'écœurent vraiment par trop, je mangerai autre chose à la place.

« Non, il y a du fer dans les épinards, il faut les manger.

— Mais qu'est-ce que ça peut faire si je mange autre chose ? Et puis ils ne font même pas grossir.

— Mange-les! sinon j'empêche ta mère de passer tout à l'heure. »

Oh! j'en serais charmée, cela va être sinistre : « Joyeux anniversaire ma chérie. » Oui, même les murs le disent mieux qu'elle. Si je pleure, ce n'est pas parce qu'elle met en danger ce supplice, la visite de ma mère, mais seulement pour avoir entendu cette intonation autoritaire qui ne croit qu'en son efficacité. « Si on ne les secoue pas, elles se laissent aller, rechignent sur tel plat, puis sur tel autre et tout est à recommencer. »

Barre-toi, va voir ta fille enrhumée, va lui faire avaler de la purée! Je n'ai pas besoin de toi pour manger, tu aimerais bien servir à quelque chose, hein? Je suis l'infirmière principale... Et puis tu trouves ma rage normale et passagère : « Elle me remerciera de l'avoir forcée. » Comme avec la crème à la vanille, hein? On érafle un peu l'émail, on enfonce, il faut bien tenir sa tête surtout. Il y a toujours de la purée. C'est pour faire grossir plus vite! Et ils alternent le riz, les nouilles et les haricots verts, la viande grillée et la graisse tournée, le poisson et la friture le vendredi parce qu'il y a des croyants. J'en ai englouti des tonnes. Elles m'en imposent deux fois plus qu'aux autres et les kilos ne grimpent pas, la ligne avance dans le temps sans monter, comme un défi. Mais qu'as-tu donc à faire de ta vie, tu n'es pas tellement pressée, ne t'inquiète pas, tu finiras bien par...

Juste après l'orange et le supplément de chocolat, elle est entrée avec son petit paquet et son sourire, c'est à elle qu'elle offre ce cadeau. D'ailleurs, le seul, le véritable, aurait été de ne pas m'avoir enfermée dans cet asile. Ne t'énerve pas et reprends ton rêve : on t'offrira un cadeau, tu ouvriras le paquet, tu remercieras, tu embrasseras même... maintenant, écoute la musique, elle te plaît ? Mais oui.

« Tiens, je t'ai amené des choses.

— Merci. Une minute, je reviens, je vais en donner à ma copine. »

Est-ce que vous me trouvez horrible ? Voilà ce qui vous attend si vous faites des enfants, retenez-le bien... Dominique me renvoie.

« Merci. Mais va la rejoindre, tu reviendras tout à l'heure. »

Face à face nous regardons nos crèmes glacées.

« Tout à l'heure, l'infirmière va venir. Bon, on y va, attention : « Ne regardez pas l'affreuse chose ! « Prenez la petite cuillère ! Fermez les yeux ! » Tu y es, je ne te vois plus ?

— J'y suis. On continue : « Piochez au hasard, « comme si vous brodiez... » et...

— Ça serait mieux si on ouvrait les yeux, on pourrait se regarder. »

Je n'ai quand même pas osé la faire attendre plus de dix minutes. J'aurais pu lui dire que je préférais la chambre à côté. Non, je ne dois pas m'énerver, c'est vrai qu'elle est dans mon rêve, d'ailleurs je commence à ne plus la voir... c'est une dame à laquelle il ne faut pas faire de peine, une femme qui ne comprend pas, rien de plus.

« Ton père est revenu... »

Elle veut que je lui pose des questions ? Non, celles-là je ne les admets pas dans mon univers, NON !

« Il va venir te voir demain. Tu as envie de le voir ?

— Oui. »

Ah ! je ne vais pas répondre non, ça te ferait trop plaisir !

J'ai encore perdu, je lis dans sa pensée : « Comme elle est compréhensive cette petite, elle va pouvoir me donner des nouvelles de son père, parce que, je ne le dirai pas, mais enfin, vous comprenez, après vingt ans de vie commune... on ne peut pas oublier les gens même s'ils vous ont fait des " saloperies " derrière le dos... »

Je ne parviendrai jamais à lui faire mal, on ne peut pas l'atteindre, elle est retranchée derrière sa mauvaise foi, elle au moins, elle sait se défendre. Je lui crie : je te déteste, et elle prend cela pour de l'amour, je lui crie : je te méprise, et elle prend ça pour de la folie, je lui crie : tu n'es rien pour moi, et elle prend cela pour de la maladresse...

« Tu lui diras bonjour de ma part. »

Non, elle n'ose pas me demander de me renseigner à propos de cette « pouffiasse ».

« Tu lui demanderas son adresse, j'en ai besoin pour le procès, pour mon avocat... »

Non, mais tu me prends pour une imbécile ? Comme si ton avocat ne l'avait pas ! Et puis je les connais tes fausses excuses, on lit trop clairement tes mensonges. Non, je ne réponds rien, je ne peux pas répliquer. D'abord, je ne servirai pas d'intermédiaire, je te préviens tout de suite ! Mais alors à quoi ça sert les enfants ?

— Tu n'as qu'à lui demander toi-même si tu tiens à aller lui dire bonjour.

— Mais je ne veux pas aller le voir !

— Pourquoi as-tu besoin de son adresse alors ?

— Je te l'ai dit, pour l'avocat. »

148

Vous voyez bien que ça ne sert à rien. Non, ne craignez rien, je suis gentille, je réponds à ses questions de mère, je fais semblant, je joue mon petit rôle. Je mange des biscuits en regardant ses bottes de cuir. Elle prend ses habitudes et n'a pas l'air de trouver cette chambre aussi horrible que moi. Si mon attitude était trop récalcitrante, elle irait se plaindre au psychiatre afin de me rendre raisonnable et adorable comme une gentille petite fille. « Qu'est-ce que vous lui avez fait ? Elle ne me parle plus, elle ne m'aime plus... — Ne vous inquiétez pas, madame, on va arranger cela avec un petit chantage, et des petits médicaments... »

Si tu ne l'acceptes pas, cette femme, elle te détruira, tu ne sais donc pas lire dans ses yeux ? Regarde cette lueur perfide, prête à tout pour défendre sa « possession » en l'occurrence toi. Ne vois-tu pas cette méchanceté, la même que lorsque tu viens de lui répondre : « Oui, je verrai mon père », exactement la même. Ce sera aussi la même qui s'étalera sur tout son corps lorsqu'elle saura que je « l »'ai vu. Ne crains rien, je ne crois pas avoir le complexe d'Œdipe. D'ailleurs, je ne le trouve pas assez beau. Et puis je ne serais pas amoureuse d'un homosexuel, mais c'est vrai, tu l'ignores. Disons que pour une fois, tu fais bien semblant.

« Je travaille demain, il y a beaucoup de travail... »

Elle pourrait me raconter par le menu aussi les copines de bureau, les « collègues »... je parle du sexe masculin, évidemment.

« Tout le monde me demande de tes nouvelles.

— Ah ! bon, parce que tu as...(eu le culot de leur dire que tu avais enfermé ta fille chez les fous ? Qu'est-ce que tu as raconté comme mensonge ?)

Non, ce n'est même plus de la colère, elle est trop ridicule, j'ai gagné, maintenant elle m'écœure mais ne me touche plus, j'éprouve envers elle, pour elle, la même honte que lorsque je vois cette grosse fille lever sa jupe sur son ventre quand passent les docteurs ou les internes.

« Tu as des amies, elles sont gentilles ?

— Tu les as vues, celles qui sont dans le couloir ? »

Non, je ne suis pas agressive, je dis cela d'un ton doux et elle ne comprend pas. Je m'amuse avec sa bêtise, je veux voir jusqu'où elle peut aller, mais je ne suis pas pressée. N'oublie pas qu'elle peut tout détruire, il faut la ménager.

« Il y en a quelques-unes qui ont l'air gentilles. J'en ai vu une qui est très jolie. »

Ce n'est pas la peine de faire ton numéro de charme, il n'y a pas d'hommes. C'est ta ruse favorite, n'est-ce pas, de trouver les femmes les plus laides jolies ? Vous voyez, je ne suis pas jalouse, je ne suis pas butée, je reconnais les qualités des autres « femelles »... Mais je le sais bien que cette phrase tu l'as préparée pour m'« avoir » et ça ne marche plus ! Tu ne possèdes rien, pas d'indulgence, pas de cœur, pas d'amour... Non ! je ne pourrai jamais faire ta critique convenablement, c'est trop complexe et surtout trop énorme. Mais je souris, et tu te laisses avoir. « Regardez comme elle s'est bien laissé soigner pour me faire plaisir ma petite fille... »

« Il est gentil l'interne qui s'occupe de toi, hein ? Je vais le voir toutes les semaines. »

Oui, je crois que tu en as plus besoin que moi. Mais attends un peu, j'espère qu'il va te poser des questions gênantes... Il est vrai que tu mens tellement. « Vous désiriez avoir votre fille ? » Réfléchis. Si tu dis la vérité, tu vas passer pour une mère indigne. Moi, je le sais bien, un jour sans t'en rendre compte, tu me l'as dit : « Avec ton père nous t'avons faite un soir, j'étais en train de coudre sur le lit et puis il est venu. Nous ne voulions pas avoir d'enfant parce que nous n'avions pas d'argent, et puis déjà cela commençait à aller mal entre nous. Mais quand tu as été là, nous étions bien contents. Sauf ton père qui ne voulait pas d'une fille. Il disait que tu étais laide, toute rouge, sans un cheveu. Heureusement, ta grand-mère t'a prise et elle s'est occupée de toi... » Ce n'est pas de la méchanceté gratuite cela ? Et encore : « Tu étais marrante quand tu étais petite. Un jour, tu devais avoir trois ans, tu t'es enduit la tête de peinture à l'huile. Tu te peignais avec les couleurs. Ton père ne voulait pas te laver et moi non plus, on essayait de se repasser la corvée. Finalement, la grand-mère est arrivée, nous a traités de parents indignes et t'a gardée pendant quatre jours. Nous n'osions pas aller te chercher, elle n'était pas commode... »

« Vous désiriez avoir votre fille ? »

— Oh ! bien sûr ! Je voulais avoir plusieurs enfants. J'ai toujours souffert d'être fille unique. »

C'est la théorie des parents : tout ce qu'ils auraient aimé faire la « chair de leur chair » doit le désirer inévitablement.

Il y a des fois où je me demande si c'est bien ma fille, elle ne me ressemble en rien.

« L'accouchement s'est bien passé ? »

Si tu réponds : non, pour te faire plaindre un peu, il va dire que tu t'es vengée ensuite sur ton enfant d'avoir souffert.

« Oh ! très bien ! En un quart d'heure. Même pour le premier, je n'ai pas eu de problèmes. »

Il est un peu trop jeune pour toi, hein ? Je suis sûre que tu as pensé à ça. Bien sûr je ne m'attends pas à ce que tu l'avoues, tu es trop...

« Comment a réagi votre fille lorsque vous l'avez informée, à la puberté ? »

Grossière erreur, monsieur le psychiatre, vous allez la faire mentir. Elle ne peut plus répondre qu'elle n'a jamais osé m'en parler. Je n'en avais pas besoin d'ailleurs, à huit ans je savais déjà « tout » comme vous dites avec une fausse pudeur.

« Oh ! très bien !

— Par la suite, vous n'avez rien remarqué dans son comportement ? »

Non, mais vous l'avez regardée ! Elle, remarquer quelque chose ? Dites-moi, êtes-vous bien sûr que votre vocation est la psychiatrie ?

« Pas spécialement, mais elle était secrète, renfermée... »

Ça c'est facile, je l'étais bien par ta faute !

« Elle ne vous parlait pas de ses problèmes, de ses amis ?

— Non, j'aurais bien aimé mais elle ne répondait jamais à mes questions. »

Voilà qui lui aurait plu, cela aurait satisfait sa curiosité ! Mais il ne lui est jamais venu à l'esprit de m'aider ! C'est normal, les mères ne sont pas faites pour cela. Les mères, c'est juste fait pour vous « donner » des rancœurs avec leurs mesquineries, leurs mensonges et pour s'assurer une retraite « après tous les sacrifices qu'elles ont faits ».

« Elle était souvent à la maison ?

— Non, elle sortait trop, mais lorsque je me fâchais, le lendemain elle rentrait une demi-heure plus tard, alors je n'osais plus le lui reprocher. »

Je te possédais bien. Les parents, il n'y a que comme ça qu'ils comprennent. « Je me suis fait un souci d'encre, tu vas me rendre malade, je croyais qu'on t'avait enlevée... »

Monsieur le psy, ce n'est pas les enfants qu'il faut enfermer, mais eux, les parents. Eux, les responsables. Vous le savez, n'est-ce pas ? Seulement, personne ne peut se débarrasser des parents, personne n'en est « responsable »... Par contre, eux signent sans difficulté le billet d'internement pour ces « sales mômes »... et vous trouvez ça normal...

« Elle s'est bien comportée lorsque vous avez été la voir ?

— Oui. Elle était contente. »

Et le résultat c'est nous qui sommes enfermés ! Comment voulez-vous les « respecter » ? Elle, c'est cette fille qui lève sa jupe et laisse voir ses cuisses laides et repoussantes, et lui le « savant » c'est ce garçon qui marche avec des couches entre les jambes et grimace hystériquement...

« Tata Lulu voudrait venir te voir.

— Ah ! non. D'ailleurs, il n'y a que la famille proche qui peut entrer ! »

C'est vraiment trop risible, je commence à croire qu'elle le fait exprès. J'ai une mère sadique qui me tue à coups d'aiguille, elle y était presque parvenue et s'est ravisée au dernier moment, l'asile, c'est plus douloureux, plus humiliant, ça fait encore plus mal.

« Je peux m'en aller, tu ne t'ennuieras pas ?

— Non. »

Elle fait semblant d'être un peu peinée, il faut sortir en beauté. Le mur n'est plus agressif, il rit.

Du même rire que celui de cette grosse fille, un rire... fou.

Même le temps est triste, anéanti, maussade. Il peut être tout ce qu'il veut, de toute façon, je déteste le soleil, surtout derrière les vitres sales d'une salle commune. Même en montant sur ma chaise, je ne parviens pas à apercevoir la cour, à peine un petit carré de ciel.

Je ne peux pas fixer mon attention sur les phrases des livres, pourtant j'en ai lu autant que j'ai avalé de poison; il faut apprendre les mots, réapprendre à parler. Mais on ne m'a pas dit comment il fallait faire... et je me suis trompée de chemin, comme toujours, j'ai encore perdu. J'ai presque envie de dire que ce n'est pas important, je ne veux rien apprendre ici. Il est déjà trop tard. Justement j'ai trop appris et pas dans les livres. J'ai appris à refuser, à m'échapper. Je reste avec mon rêve devant la vitre teintée, et je ne veux pas penser qu'il puisse n'être qu'un rêve...

J'avalais des tonnes de barres de chocolat, des tables de nuit entières de paquets de biscuits, sans compter en supplément les plateaux... jusqu'à l'écœurement, jusqu'à être sûre de ne rien pouvoir faire entrer en plus, j'avais l'impression que cette nausée me torturait depuis des mois, cela faisait trois jours et la ligne noire était montée de cent grammes! Et après la dure épreuve de la pesée, il fallait supporter ce mur en forme de psychiatre qui se croisait les bras et annonçait des évidences.

Mon père attendait dans le couloir, il a parlé à ce psy, moi je m'en fous de mon père et lui aussi il se fout de moi, alors pourquoi faire semblant, pour qui? Il va également se plaindre : les scènes d'attendrissement sont sa spécialité, et je dois me méfier car il peut être très habile, devenir très intelligent dans sa pitrerie.

« Ton père attend dans le couloir. »

Il s'imagine que je vais m'y précipiter ? Vraiment vous n'y êtes pas.

« Je lui dis d'entrer ? »

Il est content car il croit que j'ai envie de crier : « Oui, je veux le voir tout de suite. » A cause de mon silence, il croit que je retarde sa « faveur » digne d'un roi !

« Bonjour, ma petite chérie, comment ça va ? »

Un monsieur avec de gros yeux, qui les ouvre encore plus grands pour bien regarder le phénomène, un monsieur entre deux âges qui attend un amour éternel parce qu'il y a treize ans...

« Il vient de sortir, cet imbécile de docteur ? »

Enfin une parole sensée mais elle sera bien la seule de toutes tes phrases !

« Je suis revenu tout de suite du Canada dès que j'ai appris que tu étais malade, j'étais furieux que ta mère ne m'ait pas prévenu. »

Piège. Ne crois pas ça. Il devait y rester quatre mois et ça fait à peine un peu plus... D'ailleurs, tu sais bien qu'il ment.

« Ta mère ne m'a écrit qu'au bout d'un mois, presque deux, que tu étais là. »

Pourquoi, lui aussi croit qu'il aurait pu me soigner ? C'est bien là l'orgueil des pères.

« Viens, que je t'embrasse. Pourquoi as-tu fait ça ? Maman n'a pas été gentille avec toi ? »

Je déteste les câlins de père, je te préviens, le contact du menton rasé et piquant, je ne peux pas le supporter !

Attention, lui aussi peut tout détruire... Attention, c'est la guerre entre parents à qui sera le plus responsable...

« Elle ne t'a rien fait, non ? »

Est-il donc entré dans cet hôpital par la même porte que moi ? Et, rien ne l'a choqué ?

Il ne trouve qu'à justifier sa colère envers la femme qui l'a chassé de ce merveilleux hôtel qu'on appelle généralement une « famille ». Moi, je n'en éprouve plus de colère, seulement la curiosité de connaître les limites de leurs immondes mesquineries.

« C'est pas à cause de ton frère ? »

Il ne va tout de même pas se mettre à jouer au docteur ? Tu enrages après mon frère aussi, hein ? Parce qu'il n'avait pas la bêtise de se faire envoyer les mandats à ton nom ? « Eux » tu les détestes, donc ils t'intéressent. Mais moi je n'ai pas d'importance... Et puis qu'est-ce que tu attends pour t'accuser ? Mais non, voyons...

« Comment va ta mère ? Elle n'a pas voulu me laisser entrer à la maison, j'ai sonné, je savais qu'elle était là. »

J'en ai rien à foutre de vos salades ! Allez, continue, demande-moi aussi comment est son amant pendant que tu y es ! Et, aussi, si ce n'est pas de sa faute à lui !

« Cela me fait mal au cœur, ce n'est pas parce qu'elle divorce qu'elle doit me laisser à la porte, je rentrais du Canada avec ma valise et elle me laisse sur le palier ! Tu trouves ça normal, toi ? Ah ! C'est malheureux tout de même. Et puis, elle est gentille Marie-Annie, hein ? »

Vas-y commence tes plaintes, dis aussi que ce n'est pas de ta faute si tu as pris une maîtresse. Je pourrais être très méchante, te demander, par exemple, pourquoi je passais mes vacances dans un bled paumé, pendant que toi tu avais emmené Marie-Annie en Grèce... Mais tu as de la chance, vous m'avez trop montré la laideur de la mesquinerie, je ne veux pas l'utiliser, moi j'ai mon orgueil...

« Il ne t'ennuie pas trop ce psychiatre ? Tu ne lui parles pas, j'espère ? »

Eux, ils ne résistent à rien, mais moi, il est normal que je supporte tout. Tu étais tellement préoccupé par ta propre personne que tu n'as même pas remarqué les grilles, les murs, les verrous, les geôliers. Tu viens me voir au fond d'un asile et tout ce que tu trouves à me dire c'est de me raconter tes petits ennuis... Oh ! je n'en voudrais pas de tes : « Ma pauvre chérie, ils sont dégoûtants », d'ailleurs je n'attends rien, il ne faut rien attendre des parents ; mais ils vous imposent leurs sinistres confidences, leur laideur, leur lâcheté.

« Je suis venu il y a une semaine, juste en descendant de l'avion, seulement ils ne m'ont pas laissé entrer ! »

Peut-on faire des mensonges aussi gros ? Je te croyais plus intelligent. Mais j'ai eu le temps d'évoluer et toi celui de te dégrader depuis le dernier jour où l'on s'est vus. C'est drôle la hâte des parents lorsque vous tombez malade, la hâte qu'ils ont de venir vous parler, eux qui trouvent d'ordinaire à peine le temps de vous envoyer chez votre copine quand ils invitent « quelqu'un » à la maison. C'est drôle l'importance dont ils s'affublent pour ne pas se sentir inutiles, mais qu'est-ce qu'ils croient ? Que j'ai besoin d'eux pour vivre ? Que je les aime ? Je serais une moins que rien si j'aimais « ça » ! Cette mère qui m'enferme dans un asile et ce père qui vient pleurer sur son triste sort.

« J'ai cru que j'allais me tuer en partant! J'avais fait tous ces kilomètres pour toi et je ne pouvais même pas te voir! »

Eh oui, c'est cela l'imbécillité des parents : il ne te serait pas venu à l'idée que c'était moi qui allais me tuer? Toi, tu ne supportes pas qu'on t'interdise de remplir hypocritement tes devoirs de père et tu ne songes même pas à regarder le lieu où l'on prétend me soigner. N'as-tu donc pas remarqué les clés des chambres dans le bureau des infirmières, les filles difformes du couloir, les cafards, l'odeur? Non, tu ne pensais qu'à ta comédie, il faut pleurer un peu pour jouer au père dévoué... Ils me dégoûtent! Comment ai-je fait pour réussir à me repasser mon minable rêve en écoutant les paroles de cet homosexuel refoulé, schizophrène obsédé, menteur hypocrite?

« Ça n'a pas l'air trop terrible ici, ils te soignent bien? »

Dehors! barre-toi! fous-moi la paix! Je ne veux plus jamais te revoir! Va-t'en!

Au lieu de crier cela, j'éclate en sanglots, et je m'enfuis vers les toilettes, celles qui ne ferment même pas à clé. Assise sur le siège, la tête dans les mains, je pleure, de rage, de médiocrité, de nausée!

Comment peut-on vivre? C'est impossible! Qu'ils me laissent sortir et on verra! Je recommencerai mon suicide raté, je repenserai aux mêmes choses que celles qui ont envahi mes pensées le jour où j'ai décidé de me tuer en cessant de manger. Car ce que disent les psychiatres est faux, ça n'arrive pas comme ça sans qu'on l'ait voulu et mûrement réfléchi. On ne peut pas du jour au lendemain ne plus connaître la faim, ne plus avoir besoin de rien, c'est faux! C'est un entraînement, un but : ne plus être comme tous les autres, ne plus être esclave de cette exigence matérielle, ne plus jamais sentir ce plein au milieu du ventre, ni cette fausse joie qu'ils éprouvent lorsque le démon de la faim les tiraille. J'ai l'impression que cette règle mène vers un autre monde, limpide, sans déchets, sans immondices, personne ne se tue puisque personne n'y mange. C'est horrible, ils m'obligent à retourner dans cet univers de meurtres, de mensonges fondés sur la... sur leur infect poison ! Non ! J'aurai le temps d'y penser plus tard, lorsque je serai sortie.

8

Des paroles, des cris éclatèrent au fond du dortoir. L'infirmière avait renvoyé mon père en prétextant le surmenage et l'émotion. J'étais sûre qu'ils connaissaient tous ma haine et mon dégoût! Je revins me tapir entre le lit et la table de nuit, la tête enfouie dans mes mains pour empêcher les cris de parvenir jusqu'à mes oreilles, mais ils prennent une seconde intensité, une force incroyable, deviennent un écho interminable.

« Arrête sinon j'appelle le docteur. Il n'a pas peur de faire des piqûres le docteur, tu entends, tu veux une piqûre?

— Non, laissez-moi, laissez-moi! »

Grincements abominables de lits traînés sur le carrelage, cris inhumains, une rage impuissante malgré sa force, sanglots désespérés... Qu'est-ce qu'on leur fait?

Une infirmière entre dans ma chambre avec une assiette de gâteaux. N'a-t-elle donc aucune décence? Ne voit-elle pas qu'elle est ridicule, sordide?

« Ah! quelle peste! Regarde, elle m'a mordue! »
Elle arbore une énorme morsure bleuâtre, les

marques des dents laissent perler une goutte de sang... Merci !

« Ah ! je t'assure, quelle force elle a ! Vaut mieux être comme toi que comme elle ! »

Pour ça je te mordrais aussi.

« Ils sont partis chercher la chef de clinique... Elle va voir, on va la mater ! »

J'entends ses pas de cheval qui claquent sur les carreaux comme autant de crimes. Les cris redoublent.

« Tenez-la bien ! Nom de Dieu ! Attachez-la ! Empêchez-la de bouger ! »

Je voudrais crier, c'est moi qu'ils attachent, c'est moi qu'ils vont tuer de cette façon humiliante.

« Non, je ne veux pas, laissez-moi, je me tairai, laissez-moi ! »

Une terreur me parcourt le corps de piqûres d'aiguille partout, non, ne faites pas ça, non ! Révolte, silence... Ils l'ont tuée... J'éclate, où suis-je ? Attachée par des sangles sur un lit, torturée par la drogue, mourante... NON ! Au secours ! Criminels ! Assassins ! Je savais bien qu'il n'y avait pas de pitié !

« Tiens, prends une tranche de cake ! »

Non ! je ne peux pas, j'essaie de digérer ma mort, assaisonnée d'un peu de haine pour que ça passe mieux. Le plafond tourne, les carreaux aussi, les cris repassent, ma voix s'éraille comme celle d'un animal pris au piège et qui doit mourir lentement, avec la menace d'une dernière vengeance ! Je ne sais plus où je suis, mes mains m'entourent de ténèbres reflétées par les couleurs de cette souffrance muette, mon cœur tape, mes poumons, mes veines se noient dans un sang nauséabond, où suis-je, qui suis-je ? Rien, nulle part, une boule de tortures, la fille émet un dernier cri avant de sombrer dans le sommeil.

« Ce n'est rien tu sais, cela arrive souvent, il ne faut pas faire attention! Ne pleure pas comme ça! Allez, allonge-toi un peu, calme-toi... Tiens, je te pose ton goûter sur la table et je ferme la porte. »

Des images passent avec les sanglots, que faire? Un rêve, c'est tellement impuissant! il ne peut pas m'enfoncer dans l'oubli, dans l'indifférence... C'est cela que j'aurais aimé toucher, je ne le peux pas. Est-ce vraiment possible? Je ne le sais pas. Je me le demande, ces choses-là peut-on les demander et d'ailleurs à qui? Il n'y a personne. Je suis seule, les images passent, elles sont faciles, mais tellement laides! Ouvre les yeux et regarde ce plafond sale, ces traînées, marques de douleur, traînées de folie! Ouvre les yeux et regarde cette solitude, cette inutilité, regarde-la bien, ne l'oublie pas! Rien ne peut être plus laid, « dehors »... j'ai déjà oublié comment c'est « dehors ».

L'eau tiède du robinet me soulage, mon visage n'est qu'une ruine, je l'aperçois à travers un brouillard dans le miroir taché. Dominique est près de moi et essaie de me consoler. Grande fille d'os, j'aime ton corps, j'aime sa légèreté...

« Respire bien fort... Doucement, calmement, ça va mieux? »

Que dire? Rien, c'est un énorme vide. Ils m'ont bien tuée, et pourtant je suis là, terrible verdict.

Pour occuper mon esprit j'écrivais au crayon une histoire sur des feuilles blanches, trop fines, l'histoire d'un village... Tous mes personnages représentaient quelqu'un de ce sinistre hôpital, mais je ne pouvais pas m'aventurer car on lisait derrière mon dos pendant que je me lavais. Quelquefois même je ne retrouvais plus mes feuilles : les infirmières les avaient remises aux docteurs... Ils disaient que c'était bien écrit pour une enfant folle mais la similitude ne leur apparaissait pas tant je l'avais bien camouflée. Ils relevaient les détails sans importance et inventés. Dans ce village, tout le monde critiquait la sorcière, la seule personne sensée, elle finissait par les empoisonner tous. C'est clair, pourtant ?

« Il y a un bonhomme qui a un gros ventre, n'est-ce pas ? »

Et alors, ils en ont tous dans les villages de campagne ! Vous n'y êtes jamais allé ? Ah oui ! les Baléares ! Non, à vrai dire, je vous vois plutôt dans un bled paumé de la Sarthe ou de la Normandie. Vous cherchez à prouver que la grosseur des gens me déplaît et que c'est la cause de ma maladie. Mais je ne réponds même pas, cela n'en vaut pas la peine.

« Il y a un garagiste aussi ? »

Qu'est-ce que vous voulez que je réponde ? D'ailleurs il sait bien qu'il perd son temps, si peu précieux.

« Ils mangent des flocons d'avoine ? »

Il n'a même pas compris que c'est parce que je déteste cela ! C'est pour les empoisonner !

Et puis, je n'aime pas cette histoire, je n'ai rien pu dire convenablement, ce n'était pas pour votre sale gueule ! Attendez un peu que je sois sortie, vous ne pourrez plus me les voler ! Non, mais ma mère le fera à votre place, elle fouille dans mes affaires, c'est exactement de la même façon qu'elle a découvert les preuves irréfutables des infidélités... « Je rangeais ta chambre, j'ai trouvé ce carnet fermé à clef... j'ai dû l'ouvrir parce qu'il y avait une araignée dedans, mais je te promets que je n'ai rien lu... »

Ce jour aussi où elle m'a forcée à ouvrir mon coffret à trésors : « Nous avons cherché partout ces cartouches, après tout elles sont peut-être là. Ouvre, sinon je t'arrache la clef des mains ! Tu m'entends, ouvre ! »

Je la déteste.

Leurs mensonges repassent dans mes oreilles, fétides, odeur de savon et de saleté, phrases laides, la mère disant : « C'est ton père qui te trouvait laide », le père affirmant : « C'est ta mère qui voulait un garçon. » Et « Moi je ne voulais pas y aller dans ces " parties à couples ", c'est ton père qui... », « Elle voulait être sûre que j'étais mieux que les autres », « Il me donnait pas d'argent », « Elle me prenait mes chèques », « C'est moi qui l'avais payé », « Elle me l'avait donné ». Tandis qu'il préparait son matériel de projection pornographique, pin-up en dentelles et coïts de rêve, elle triait les films : « C'est pas moi qui voulais, il avait des fantasmes, moi, quand j'ai vu ça, je suis partie en claquant la porte, je ne suis pas obsédée. » « Il faut ranger *Chattes en chaleur* avant ou après *Doubles pénétrations ?* » « La valise de cuir noir, une sacoche de docteur, surtout dis bien aux enfants de ne pas y toucher... » « Tu te rends compte, elle s'est mariée en blanc et la nuit de noces... je me suis aperçu qu'elle ne l'était plus ! Elle a menti à l'église, à Dieu ! » « Je faisais du patin à glace, les sports violents... »

Mais, pourquoi je dis tout ça ? Qu'est-ce que j'en ai à foutre de leurs futilités stupides ? Des mensonges tellement maladroits, tellement gros, comment ne pas les remarquer ? « Ils n'entendront pas, ils ne comprendront pas, laisse-les donc... »

On ne connaît pas leur but, on n'en sait pas la raison, mais elle existe là, instinctive, sentie; rien ne peut être dit dans une phrase, tout est ancré quelque part au plus profond... au moins profond de l'inconscient. Je veux dire que je vais le retrouver, je dois chercher. Je ne comprends pas comment l'on peut se décider à « mettre au monde un enfant », les mots miracle, les mots félicitations, les mots remède... Réfléchissent-ils que leur enfant a une chance sur mille d'être anormal, handicapé, taré ? Et s'il n'est rien de tout cela, vous qui l'avez fait vous allez le traumatiser, l'élever mal, votre manière le rendra malheureux plus tard... D'ailleurs qu'est-ce que vous attendez ? Qu'il réussisse à être heureux dans un monde où vous n'avez pas pu l'être ? Mais regardez, regardez donc ! il n'a aucune chance de passer l'épreuve ! Non, ce n'est pas du pessimisme. Regardez donc le malheur des autres ça vous soulagera.

Faites-les quand même, mais au moins ayez la décence de les tuer une fois nés. Vous aurez eu votre rêve, dérisoire, malsain, malhonnête.

J'ai été parler avec cette grande fille blonde aux somnifères mal dosés et à la peau du visage brûlée, trop joyeuse.

« J'en avais marre de mon père, il voulait pas que je sorte avec mon petit ami, et lui il se foutait de moi... J'ai même pas réfléchi, j'étais trop en colère, j'ai pris le tube... Je voulais me venger, ils auraient eu un cadavre sur les bras. Tous les soirs, c'était la sérénade, mon père commençait à faire des allusions et puis comme je ne lui répondais pas, méchant, vicieux, il me posait des questions. Un jour sur deux je pleurais toute la nuit. L'autre je criais comme une folle. Et en plus je perdais tout le monde, mon petit ami en avait marre. Il est con, ce psychiatre, il me demande ce qui se passait avec mon copain! A croire que lui aussi il est vicieux! Je me suis mise en colère, j'ai crié et tout ce qu'il a trouvé à faire c'est de me regarder calmement en me disant : « Oui ? » Je l'aurais tué!

Je sais, c'est exactement cet éclat qu'ils attendent, leur fausse supériorité tient dans ce : « Oui ? »

Mais la colère de cette fille une fois sortie d'elle ne reviendra-t-elle pas plus violente ? Lui, il s'en va satisfait, avec toute votre révolte étalée qu'il décrira dans son dossier...

« Comment te sens-tu ? »

Mais enfin, c'est évident.

Il n'y a peut-être que deux miroirs dans ce pavillon mais j'y ai regardé ma sale gueule bouffie de larmes... Encore une provocation. Ça vous fait plaisir, hein ? Mais c'est vous le plus déplacé dans tout cela, vous venez soi-disant pour m'aider et moi je me tais, c'est moi qui me moque de vous! Vous, vous êtes obligé de voir les malades! et si tous vous refusaient que feriez-vous ? J'espère que vous auriez au moins la franchise de devenir infirmier. Mais non, d'ailleurs les fous incurables ne vous refusent pas, eux... Aucun ne vous refuse, le psychiatre est leur seul appui, la seule personne qui ne les traite pas comme de sales cafards repoussants, qui veut bien leur parler... Oh! quelquefois des cas bénins comme les anorexiques, des enfants gâtés qui s'enfoncent dans leur mutisme, vous résistent, mais en général tout le monde parle... D'ailleurs si les enfants se taisent, les parents...

Il suffit de leur donner bonne conscience, de bien les assurer de votre compétence...

« Ainsi vous vous sentez coupable ? Vous auriez voulu la laisser mourir chez vous ?

— Non, mais j'ai l'impression de m'en débarrasser, les gens me posent des questions, et puis je suis gênée pour sortir, je n'ose pas m'amuser, ma fille est à l'hôpital et moi je... Non, ce ne serait pas digne d'une mère. »

C'est toujours l'opinion des autres qui te chiffonne, n'est-ce pas ?

« Tu as entendu ce qu'elle a dit la bouchère : « Moi, mes enfants ne sont pas maigres, y a à « manger chez moi ! » Mais je n'y peux rien, je serais prête à t'acheter tout ce que tu voudrais... »

— Vous lui avez donné le sein ?

— Non, j'avais la tuberculose. »

Comme ça, c'est facile, mais tu t'en tires mal, pas de sein, pas d'amour, c'est la théorie. Mais tu t'es tellement menti à toi-même que tu ne sais même plus ce qui est vrai, ça ne s'appelait pas tout à fait une tuberculose... une petite dépression pour un chagrin d'amour, un petit suicide raté avec les tuyaux de la cuisinière, calculé pour ne pas être mortel, ni même trop grave... « Quand il verra que j'ai voulu me tuer pour lui, il reviendra... » Tes charmes n'étaient donc pas assez forts ? « Oh ! ce n'est pas ça, mais ma mère me disait toujours que j'étais un laideron, je n'étais jamais sûre de moi. » Bien sûr, toi aussi on t'a traumatisée, hein ? « Ce n'était pas de ma faute, qu'est-ce que vous croyez, pour moi aussi, ça a été dur... » C'est pour ça qu'on a le droit de détraquer les autres...

« Vous auriez aimé lui donner le sein ? »

Attention, si tu dis la vérité, que tu en avais rien

à foutre de ces bébés tout rouges et tout laids, cela sera de ta faute... si tu dis que tu pensais au garçon qui t'accompagnait à la patinoire...

« Oui, mais les infirmières me l'avaient interdit et puis je n'avais presque pas de lait et il tournait... »

Cela te dégoûtait d'être une vulgaire nourrice, hein ? Une vache, quoi ? Non, mais vous me prenez pour quoi ? « Et puis j'étais malade, je n'étais pas complètement remise. Je voudrais me faire plaindre mais personne ne fait attention, alors j'exagère un peu... »

« Est-ce que vous idéalisiez votre enfant ?

— Mais c'était elle la plus intelligente, la plus jolie, la moins influençable... de toutes les autres enfants. Tout le monde l'aimait, la trouvait mignonne, ils auraient tous voulu avoir une fille comme elle ! Même tata Lulu rageait parce qu'elle n'avait pu avoir que des garçons. Et puis, vous l'avez dit, ça n'arrive qu'aux filles intelligentes ces choses-là... »

Encore une de leurs fausses et stupides théories. Si j'avais été plus maligne, j'aurais été me renseigner sur les doses de somnifères. Mais je ne savais pas exactement que j'organisais mon suicide, inconsciemment je le devinais mais je n'aurais jamais voulu l'admettre... le jour où j'ai décidé...

En tout cas, si j'avais été intelligente, je ne me serais pas laissé prendre dans ce guet-apens tellement évident. J'aurais dû me renseigner sur ces choses-là dès la première visite chez un psy.

Et puis, les autres filles, dans les chambres, Christine est dans une classe de transition (parce que pour vous c'est cela l'intelligence, les résultats scolaires) mais ne réagit déjà plus, elle s'occupe à

168

coudre, et ne veut laisser sous aucun prétexte la ligne monter.

« Tu te rends compte, ils veulent que je sois obèse, mais moi, je veux rester comme je suis.

— Regarde-toi, nom de Dieu! Prends un miroir!

— Ce n'est pas la peine, il n'y en a pas ici...

— Regarde tes jambes, les os de tes hanches malgré l'épaisseur du tissu ressortent comme des barres, ta silhouette affalée et laide, cette faiblesse maladive... Et ça te plaît! »

Elle est sensible à la cruauté, mais elle n'est pas intelligente, à moins qu'il ne faille un autre mot?

Ne trouvez-vous pas que l'intelligence doit être fière? « J'adore mes parents », est-ce de la fierté? Est-ce de l'intelligence de se forger un rêve comme le mien ou de s'accrocher à la bouée de sauvetage de l'amour parental? De l'intelligence de ne pas prévoir les conséquences de votre refus? je veux dire cet emprisonnement, ce chantage, j'aurais dû partir sur une île déserte au milieu de la mer... c'est beau la mer, vous ne trouvez pas? Ç'aurait été une certaine forme d'intelligence, tout au moins de perspicacité. Eh! je me suis laissé prendre comme une idiote. Je ne suis rien d'autre, en train de me bourrer avec rage de chocolat, de purée et de biscuits trop secs parce qu'ils font grossir...

Comment voulez-vous vous intégrer aux autres quand votre mère répète toujours, derrière votre dos, et sans scrupules devant vos yeux : « Sa copine l'a laissée tomber, mais je suis bien contente, c'était une vraie petite peste, et puis elle n'était pas du même milieu, ils habitaient dans des H.L.M. d'ailleurs, c'est ma fille la plus intelligente en classe, elle est première partout... »

J'ai envie de me révolter, je voudrais pouvoir refuser que ce soit cette femme stupide et méchante qui ait pu suivre sans difficultés son plan de destruction, qui m'ait forcée à voir les choses de cette façon. Ne trouvez-vous pas que c'est plus qu'humiliant d'être obligée de le reconnaître ? Cette femme que je déteste qui entre avec son sourire figé et ses gâteaux... Elle ne me veut que du bien ? Alors pourquoi disait-elle cela ? Elle ne se rendait pas compte ? Vous me prenez pour une parfaite imbécile ? D'ailleurs je n'y crois plus à ces phrases toutes faites : « Ils n'ont que toi au monde, ils ne veulent que ton bonheur, ils ont fait ce qu'ils pouvaient... » Je n'admets aucune excuse, elles sont fausses ou inventées. Ils se soulagent eux-mêmes au lieu de soulager l'être pour lequel, soi-disant, ils donneraient leur vie...

« Je donnerais dix ans de ma vie pour que tu manges... »

Bien sûr, elle n'a jamais lu Camus... le troisième patricien devant la souffrance de Caligula dit : « Jupiter, prends ma vie en échange de la sienne. » Et Caligula répond : « Ah ! ceci est trop, je n'ai pas mérité autant d'amour, gardes, emmenez-le à la mort. Je me sens mieux maintenant que tu m'as donné ta vie, tu m'as guéri, n'es-tu pas heureux ? » Et le troisième patricien répond : « Mais je ne veux pas. C'est une plaisanterie ! »

Ils sont semblables, haïssables, non, risibles. Parce que moi je ne peux pas crier : « Enlevez-lui dix ans et amenez-moi un grain de riz ! »

« Etait-elle déprimée ? Triste ? »

Comment voulez-vous qu'elle ait pu s'en apercevoir ? Il faut pleurer, crier et gémir pour paraître triste...

« Non. Elle ne pleurait jamais, elle avait toujours des dix-huit en classe. Elle s'enfermait dans sa chambre pour lire et ne voulait jamais sortir. Elle écrivait des poèmes qu'elle cachait sous ses piles de vêtements... Je les ai vus un jour en rangeant... »

" Comme le ménage n'est-ce pas ?

« Oh ! mais je ne les ai pas lus, je respecte ses secrets ! Elle parlait du printemps et de la nuit. C'était sur le noir, le soir, sur le soleil qui s'en va...

— Vous ne les avez pas lus ?

— Oh ! juste parcourus, je ne savais pas que c'étaient « ses » poèmes sacrés. D'ailleurs, il n'y avait rien à cacher, les enfants croient toujours... »

Lui, il ne dit rien, il trouve ça normal !

« Elle sortait trop.

— Vous vous sentez responsable de l'avoir mise ici. Et pourtant vous la laissiez sortir sans même savoir où elle allait. Vous trouvez ça normal ? »

Admirez leur sale travail ! Tentative de complète destruction, de doutes mal dirigés, d'emprisonnement, de culpabilité.

« Elle ne me demandait pas mon avis. Je rentrais le soir et elle n'était pas là. Je lui disais bien qu'il fallait faire les courses, la vaisselle, m'aider un peu, mais je trouvais un mot dans l'entrée : « Je suis sortie. » J'étais morte d'inquiétude, vous comprenez, mais j'avais beau lui dire, elle n'entendait rien. Vous savez, c'est égoïste les enfants... »

Et en plus, c'est moi qui suis égoïste, je ne la plains pas assez, il faudrait que je joue à la poupée, que je la prenne dans mes bras et la console... Je m'en fous de son inquiétude et puis elle ment, elle l'a imaginée afin de se donner bonne conscience.

Mais je ne peux plus y penser, j'ai l'impression

d'être parcourue d'électricité, la peinture jaunâtre me rit au visage. Ah! tu es marrante, toi! tu te tortures l'esprit et la mémoire pour des choses pareilles. Je n'en peux plus!

Patricia entre avec son œil au beurre noir.

« Regarde, t'as vu ce qu'elle m'a fait? Elle piquait sa crise de nerfs... C'est bien, toutes les infirmières s'occupent de moi.

— Alors, ma petite Pat, ça va? T'as pas eu de chance, c'est toi qui as ramassé! »

Je les entends sans les écouter. Moi, je ne suis pas ici. Je n'y serais jamais venue. C'était juste une information. Je n'ai jamais vécu dans cette écurie de cafards et d'injustice. Je reste assise, immobile et livide, je me bouche les oreilles, les yeux. Non, pas la bouche sinon les autres vont s'ouvrir! Rêve et ne les écoute pas, ils te font trop peur...

Des éternités ont passé... et nous ne sommes que le 20 novembre.

Des jours obsédés par les plateaux de purée livide et des jours obsédants par cette phrase ancrée en vous : « Tu peux manger un biscuit, un carré de chocolat... »

Des dessins, des phrases et des livres, ça ne comble pas votre esprit lorsqu'on vous contraint à trop combler votre corps. Des broderies et du silence, ça ne vous rend pas la joie de vivre.

Une quatrième anorexique était arrivée, on ne pouvait jamais la voir, l'infirmière l'emmenait se laver par la main, après avoir dégagé le couloir de l'isolement. C'était torturant de passer devant cette porte fermée, silencieuse, de songer que

172

quelqu'un y pleurait, que quelqu'un y mourait par l'âme, la plus terrible mort.

Au fond du dortoir, il y avait une seconde suicidée, elle avait avalé de la soude, toute sa gorge et son larynx étaient brûlés, des tuyaux de plastique sortaient de son nez, c'est à cela que j'avais échappé.

Ce qui m'étonnait dans toutes ces filles, c'est qu'elles ne semblaient pas trouver anormal d'être dans un pavillon psychiatrique pour une dépression ou une tentative de suicide. C'étaient les deux seuls cas de maladies qui m'attiraient, elles se rapprochaient de la mienne, mais il faut dire également que les autres enfants étaient inapprochables. Ces prisonnières ne se plaignaient jamais du vol de leur liberté, elles semblaient sereines et intouchables. Un peu comme si leur seul but avait été d'atteindre autre chose que leurs anciennes conditions. N'importe quoi d'autre, même ces murs, ces grilles, ces verrous, ces menaces, ces chantages... Elles ne disaient jamais véritablement et clairement pourquoi elles avaient fait « ça ». Mais je ne réalisais pas en le leur demandant la complexité de leur acte. Pour moi, si on attrapait soudainement le tube de somnifères, la boîte de soude, ou les lames de rasoir, ce ne pouvait être que pour une raison précise, que pour une déception claire et consciente. Une anorexie représentait un suicide long et douloureux, peut-être une sorte d'appel au secours, un temps mort pendant lequel on réfléchit à ses propres raisons en les imprégnant de lucidité et en les parant de faux compliments. On se persuade chaque jour davantage. Ainsi on ne peut expliquer en une phrase pourquoi... Mais une tentative de suicide c'était totalement différent, net, limpide.

Leur abandon, leur résignation m'excédaient. Pourquoi aucune révolte, aucune colère ? Aucun effort de compréhension : « Je ne veux pas le savoir, pourquoi j'ai fait cela. » Mais elles mentaient, sans doute, assurément... C'est impossible de ne pas se poser de questions, n'est-ce pas ? Et moi, n'étais-je pas comme elles ? Sans but, sans joie, sans rien ? Juste avec cet espoir qui nous enchaîne à des mensonges, l'espoir de « sortir » ? Juste avec le désir de tout cacher, de ne rien laisser dans ce pavillon, ni dans l'esprit des gens ? Comment savoir si elles ne dissimulaient pas ? Non, elles ne le complimentaient pas ce « psy », mais on voyait dans leurs yeux s'allumer quelque chose, une curiosité, un plaisir... et ce soulagement après leurs entretiens, comment le comprendre ? Elles ne pouvaient que mentir lorsqu'elles affirmaient avec assurance : « Il est dingue ce mec, il pose des questions débiles, je l'envoie paître à chaque fois, qu'est-ce qu'il t'a demandé à toi ? »

Aucune n'adoptait le silence complet. D'ailleurs, l'expansivité dans un sens ou dans l'autre était considérée comme un signe certain de folie.

Une fille brune et sophistiquée traînait en pleurant dans le couloir, le dos courbé, les yeux enfoncés, gémissant et sanglotant.

« Tu vas arrêter de pleurer comme une petite fille, oui ? Je ne laisse pas entrer ta maman demain si tu ne te tais pas tout de suite. Qu'est-ce que c'est que ces caprices ? Une grande fille comme toi ? Tu n'as pas honte ? Tu vas te calmer ? Tu ne verras pas ta mère, tant pis pour toi, on ne va pas te montrer dans cet état, allez, calme-toi ! »

Criblée de piqûres, elle pleurait sans cesse depuis deux jours entiers, elle n'allait bientôt plus avoir une seule larme dans le corps...

« Laisse-la faire ses caprices, elle va se calmer. Et puis, tu vas voir, ça sera les piqûres, sinon...

— Trente-six kilos. Tu vois on y arrive, plus que quatre...

— Trente-quatre pour Domino, ça grossit tout ça.

— Hein, hein ? Trente-cinq pour Christine... Tu es à la traîne. »

Elle descend de sa démarche de chat, s'échappe de la vue du juge, elle va se réfugier dans sa robe de chambre, se lisse les cheveux, roux et laids.

« Trente-sept pour Isabelle. »

Trente-sept pour un mètre soixante-huit, elle doit monter à cinquante kilos. Ils sont fous, plus que fous, on aurait envie de leur enfourner la purée de force dans la bouche qu'ils se rendent compte ! Mais leur sadisme n'en serait que plus réjoui. J'en ai marre, je voudrais oublier, ne plus jamais revoir ces visages si précis, ne plus me souvenir de cette nausée insoutenable...

Décalquer un vide à la place de ce temps perdu, ne jamais revoir une seule image de leur horrible univers !

Des cauchemars affreux qui vous réveillent malgré leur Valium : je me noyais dans une mare de riz collé et de pain rassis, de beurre rance et d'œufs pourris. Je n'en peux plus. Je pleure. Je n'en peux plus de pleurer, pourquoi ne pas éclater comme cette fille qui gémit dans ce couloir de vide et de néant ? Non, il ne faut pas que je m'amuse avec les mots, c'est pire que le néant. Mes lèvres me brûlent. J'arrache les peaux qui gercent, je veux sentir le goût du sang et le frisson qui me parcourt lorsque la pellicule s'en va en se déchirant. Je n'en peux plus. Je vais bientôt mourir.

Je ne sais pas comment cela s'appelle, c'est un peu une chose insaisissable qui vous frôle et s'en va en riant. Vous restez avec votre tristesse dans le silence. La musique, la voix chaude et tendre sont parties avec un sourire sur les lèvres : « Non, je ne suis pas pour toi, non, tu ne m'auras pas, tu me trouves belle, mais pourquoi n'acceptes-tu pas que la beauté puisse ne pas être pour toi... » Non, reste là... La voix de la petite boîte est partie, l'émission est terminée, cette voix n'a pas parlé pour moi, elle disparaît vers un autre univers. Elle est quelque part, dehors, peut-être à deux kilomètres à droite... Non, le pavillon des fous est au milieu, à plus de deux kilomètres de la rue, à plus de deux kilomètres de la vie.

Et la radio reste silencieuse, muette. Dans une solitude soudain si douloureuse que personne ne voudra y venir. Je ne pourrai jamais trouver les mots qui rendraient cette intensité, ce sentiment tellement fort d'abandon et d'insignifiance. Une voix qui était heureuse, une voix que vous aimiez, elle est restée derrière le mur de l'hôpital, peut-être en attendant quelqu'un est-elle partie avec sa mélancolie mêlée de joie. Et vous êtes là, dans une porcherie, vous entendez les pleurs de cette fille, les cris de l'autre, la voix autoritaire de l'infirmière...

Essayez d'imaginer. Vous ne le voulez pas ? Pourquoi lisez-vous alors ? Je veux me dépêcher de ressortir de ce cauchemar reconstitué, il me poursuit dans mon sommeil, le matin j'ai peur de ne pas trouver la machine à écrire, mais seulement le mur d'hôpital reconstruit... Je ne peux plus m'arrêter maintenant, l'hypnose n'est pas finie, ce serait horrible de rester dans ce cauchemar... Imaginez ou arrêtez de lire, je sais, mes mots ne sont pas comme je le voudrais... Je voudrais qu'ils laissent un goût amer de révolte, qu'ils vous sautent au visage comme autant de tortures inhumaines... Mais voyez-vous, je ne sais pas, c'est seulement sincère, peut-être rancunier et horriblement maladroit.

Isabelle était oubliée au fond du cachot, non, ils n'avaient pas tourné la clef et c'était encore plus horrible, plus humiliant. Avec Dominique, nous écoutions sa colère, en rajoutions afin de la libérer plus facilement, de lui montrer qu'effectivement mais... Elle me plaisait parce qu'elle était révoltée d'une autre façon que la mienne, d'une façon franche et impulsive qui sortait et criait sans peur, sans lâcheté. Elle avait englouti tous les plateaux et n'en finissait plus de maigrir d'énervement et de larmes... Nous lui apportions ce que nous pouvions, c'est-à-dire d'autres phrases que celles des infirmières qui ne savaient pas comment s'y prendre. Evidemment, nos déplacements dans les chambres n'étaient pas ignorés, mais cela aussi faisait partie de leur plan. Ils sont horribles mais ne se trompent pas. Lorsque vous êtes touchée ainsi, il n'y a que les personnes qui ont subi la même chose qui peuvent vous aider, elles comprennent votre état d'esprit, votre révolte et ne cherchent pas à l'apaiser mais à la ranimer, pour ensuite parvenir à vous la faire oublier. Les docteurs appréciaient sur le papier millimétré l'influence de nos visites secrètes : peu à peu le poids montait.

Toutes nous parlions très rarement et très approximativement de nos parents, peut-être parce que nous désirions les oublier. Moi, je ne pouvais pas y penser sans proférer des menaces, par contre les autres ne cessaient de les louer. Leur réaction en opposition à la mienne m'obligeait, en quelque sorte, à chercher plus profond encore; par exemple cet éclair sincère de joie lorsque Dominique avait appris ma première autorisation de visite, qu'en penser ? Reportait-elle ma visite sur elle-même ? Etait-elle contente pour elle ? Désirait-elle véritablement voir ses parents ? Oui, c'était trop évident, je ne pouvais plus en douter. Autant de questions insolubles. Trop de discrétion; ils étaient parvenus à lui donner un sentiment de honte et de culpabilité : la conscience d'avoir osé quelque chose en dehors des règles. « Je sais que je fais de la peine à mes parents, ils aimeraient me voir et moi je grossis tout doucement, sans me presser... » Ce qui d'ailleurs était faux, elle avalait autant qu'elle le pouvait de purée infecte et de chocolats interdits. Car normalement ma mère ne devait pas m'amener la quantité de « suppléments » dont elle chargeait son sac. Ne pas nous brusquer... Ces sadiques désiraient une montée lente et régulière. Mais nous, dans notre esprit, un paquet de biscuits, c'était un jour de moins dans ces horribles chambres. Un jour, c'est énorme. Aussi les infirmières avaient l'ordre de doser efficacement. Ce qui n'empêche qu'elles nous obligeaient à avaler d'infects trucs qui ne faisaient même pas grossir, tant qu'à avaler, autant que ça nous serve à gagner du temps... Seulement tout était calculé, elles connaissaient

178

très bien notre état d'esprit, et également l'état de nos tables de nuit. Mais elles ne pouvaient tout de même pas freiner notre volonté de sortir le plus vite possible.

C'était un jour à haricots verts particulièrement écœurants. Dominique pleurait parce qu'on l'avait par trop forcée, d'autant plus inutilement qu'elle ne refusait pas de manger, mais là, c'était trop huileux, trop nauséabond. Les infirmières se défoulaient sur nous en quelque sorte.

« T'en occupe pas de ces conasses, d'ailleurs tu t'en fous, tu ne vas pas manger un truc qui va te faire vomir. Elle veut que tu le manges absolument? Même après le dessert? Viens, on va les jeter dans la poubelle... Allez, on mangera autre chose pour rattraper. T'as un bout de papier? Trop c'est trop. »

Ce n'est pas du sadisme peut-être? pousser jusqu'au bout l'humiliation et la nausée...

Si je les revoyais... Non, il ne faut pas penser à cela. Ce qui me révolte c'est que je n'arriverai jamais à me détacher de toutes ces... Trouvez le mot le plus horrible, le plus dégradant, le plus infect de votre propre langage, moi, je ne le peux plus!

« Alors tu as vu ton père? »

Ça va recommencer. C'est amusant de voir les gens tourner autour des questions sans oser les poser directement.

« Ça s'est bien passé?

— Oui. »

Tu aimerais que je te raconte dans les détails, n'est-ce pas? N'attends rien. Je le sais, tu veux tout et toi tu ne donnes rien sauf ce qu'il ne faudrait pas. Mais c'est encore de ma faute, j'ai choisi le mauvais chemin.

« Ce n'est pas à cause de lui que tu as fait cela? »

Ils me dégoûtent. Plus que la purée gluante. La mère accuse le père, le père la mère et tous les deux le frère...

« Vous comprenez, monsieur le psychiatre, moi je n'y suis pour rien, il emmenait sa fille avec sa maîtresse. Vous pensez! je lui ai demandé s'ils dormaient tous les trois dans le même lit, mais elle ne veut pas répondre. Avec cet obsédé sexuel... on ne sait jamais. En tout cas, ils avaient une chambre pour trois, je me suis renseignée à l'hôtel, là-bas, en Belgique. C'est certainement pour ça que... »

En attendant, c'est bien toi qui avais dit : « Emmène-la ça la changera d'air »... et surtout, je ne l'aurai pas dans les pattes... Et puis tu le savais, tu le reconnais implicitement, tu t'es mariée avec un obsédé, ils te plaisaient ses fantasmes, n'est-ce pas?

« Vous comprenez, je n'étais pas là pour savoir ce qu'elle faisait avec sa fille. Ce n'est pas de ma faute, pendant que je travaillais là-bas, au Canada. On avait des amis, un couple... Le mari était un peu obsédé par le sexe et par les petites filles... Elle l'a peut-être emmenée, elle est complètement inconsciente vous savez... »

Tu oublies de préciser que toi tu prenais la femme pendant qu'elle prenait le mari... Et ils osent encore dire qu'ils sont des parents! Vous ne trouvez pas cela inadmissible ? Attendez de découvrir jusqu'où va la corruption de ces « responsables », ces minables.

« Vous voyez, son frère fréquentait des... enfin, des homosexuels... »

En tout cas, eux, ils osent le dire, espèce de sale hypocrite ! Vas-y, mets-lui ça sur le dos...

« Et comme ils s'entendaient assez bien, vous comprenez, l'influence néfaste des frères... »

Vous entendez ça ? Mais que faire devant tant de mauvaise foi ? Devant tant d'ordure ? Toi, tu ne connais que le sexe, on ne peut pas fréquenter les gens par amitié ? Non, tu ne sais pas ce que c'est ! Il faut bien que tu prêtes aux autres tes obsessions ! Evidemment, je comprends très bien. Mais voyons, c'est tout naturel...

« Il ne me parlait jamais des filles, c'est bizarre pour un garçon de quinze ans, n'est-ce pas ? »

C'est pas parce que toi tu allais raconter toutes tes conquêtes à ta maman que ton fils doit avoir des réactions aussi anormales...

« J'avais beau lui poser des questions, après tout, c'est le rôle d'un père, il ne répondait même pas. Un jour même il a forcé sa sœur à boire... au bord du coma... vous pensez, elle avait onze ans, presque un quart de litre de whisky... »

En attendant, c'était moi qui avais pris la bouteille avec ma copine, pour voir comment ça faisait. Mon père était tellement bizarre quand il buvait une larme de vin. Et ça ne lui arrivait que trop souvent. Pas alcoolique, mais quand on ne supporte pas on s'abstient.

« Bien sûr, elle ne voulait pas dire que c'était son frère que l'avait poussée, les enfants ne se dénoncent jamais entre eux. »

Que voulez-vous répondre à cela ?

J'étais le petit ange de la famille, c'était toujours mon grand frère qui encaissait pour moi, les pères détraqués détestent leur fils... Surtout quand ils ne suivent pas leurs traces.

« Alors c'est toi qui l'as pris ce livre?

— Mais non, c'est moi. Il n'était pas là.

— Toi, tais-toi et ne le défends pas, je sais bien que c'est lui qui l'a pris, hein?

— Puisqu'elle te dit que c'est elle!

— Ne vous défendez pas. C'est toi qui l'as pris. J'aurais dû te mettre chez les jésuites comme je le voulais, c'est ton imbécile de mère qui s'y est opposée. T'aurais vu un peu, à chaque connerie : la baguette de noisetier! tu en aurais bavé, crois-moi! »

Sadique en plus. C'est le portrait de tous les vices, regardez-le bien pour ne jamais devenir comme lui.

« Je voulais lui prêter mes godemichets mais il n'en voulait pas, il doit pas être normal. »

Les parents, ça ne devrait pas exister. Vous ne trouvez pas?

La mère renchérissait :

« Il avait des amis bizarres...

— Votre mari m'a dit que c'étaient des homosexuels. Les adultes, ça les amuse de jouer aux concierges. Toi, tu feras la maman, toi le papa, et toi tu seras le méchant. Leurs paroles sont fausses, elles éclatent et répandent une odeur d'ordures...

— Et votre fils? »

Je vous le dis, ils suintent par tous les pores et leur parfum se répand, entêtant; mielleux, aigre, du beurre rance. Je ne peux plus continuer, ça remonte trop haut dans la gorge. Il me faudra encore du temps avant de ne plus les considérer.

Il est difficile et long de parvenir à respirer uniquement par la bouche.

Elle était toujours là, tandis que mes souvenirs défilaient sur les carreaux brunâtres, elle parlait, je ne pourrais pas dire exactement de quoi, mais certainement de son ridicule emploi du temps, de son ménage, de sa maman, de l'augmentation du prix du café.

« Tata Lulu te dit bonjour. »

Elle y tient vraiment ! Cette grosse dame blonde et vulgaire qui n'est même pas ma vraie tante... Ce n'est pas parce qu'elle avait des fréquentations douteuses, lorsqu'elle était jeune, que je dois maintenant subir ses nouvelles déprimantes. Elle m'y traînait pour bien montrer comme sa petite fille avait grandi, comme elle était jolie et sage. Sage parce que je ne disais jamais un mot en dehors du strict nécessaire, tandis qu'eux tous récitaient amoureusement leurs souvenirs de jeunesse dans une salle à manger, rideaux à fleurs et broderies au mur, toile cirée et apéritif verre à moutarde. Si je faisais quelquefois semblant de les trouver gentils, c'est parce qu'ils m'offraient des cadeaux. Après tout, c'était normal, et même pas assez généreux en comparaison du supplice infligé. Et puis la remarque qu'elle avait faite était aussi une allusion au refus catégorique que j'avais émis : « de ne plus aller avec ma maman chez des débiles »...

« Ton père a-t-il pensé à te donner son adresse ? Je t'avais dit que j'en avais besoin. »

Elle n'a donc aucun honneur ? Elle ne se souvient pas de ma réponse ? Est-ce qu'il faut rire, est-ce qu'il faut... Rien ne servirait à rien. Mais je ne supporte plus ses mesquineries.

« Je suis fatiguée. Et puis l'infirmière va venir te dire de partir. »

Elle peut s'en aller avec sa bonne conscience et ses petits mensonges bien emballés par son esprit détraqué et perfide. Des mensonges pour la concierge et pour la bouchère aussi. Et puis elle n'aura plus à penser à ses scrupules; raisonnablement ils l'empêchaient de choisir un amant, maintenant il y a une chambre de libre, tu l'as prévu. Ce n'est pas moi qui suis « perfide et imaginative » mais seulement elle qui est « perfide et perspicace ».

Les soirs d'hiver sont tristes, surtout lorsque vous les observez s'étendre à travers votre morosité. De la chambre de Dominique, on peut voir la cour c'est pour elle que nous venons nous rejoindre là. Les infirmières blâment notre isolement, notre refus des autres, notre besoin de rester, toutes les deux, devant les marronniers qu'elles jugent si laids. Elles ne peuvent pas comprendre, elles sont du bon côté, elles peuvent tourner la clef.

Nous entendons les postes de radio, le hit parade avec Claude François, il chante *La Petite fille du téléphone;* la plus horrible chanson que je n'ai jamais eu le plaisir d'entendre aussi souvent. « Vous êtes à l'écoute d'*Europe 1,* il est exactement dix-neuf heures et trente minutes. » Je n'allume plus jamais ce poste recouvert d'un plastique jaune que l'on m'a apporté avec une fausse magnanimité. J'ai trop peur de saisir cette voix chaude et tendre, trop peur de l'imaginer derrière les murs gris de cet hôpital sinistre. J'en ai assez d'être amoureuse de ces choses insaisissables du soleil et de la nuit, de la solitude et de la mort. Ils sont là pour le monde entier, et ils vous parlent à travers un voile d'insignifiance dont vous ne pouvez pas ne pas avoir conscience. L'amour pur, cela n'existe pas, il ne devrait pas être égoïste et pourtant il ne tourne qu'autour de vos désirs. Ne soyez jamais amoureux, c'est la pire des choses. On reconnaît là la voix de quelqu'un qui n'a pas encore vécu, c'est bien ce que vous pensez? ils disent que l'amour est la plus merveilleuse des choses, ils disent que c'est le but de la vie, mais ils disent tant de choses stupides... Je ne crois pas à leur optimisme ni à leur joie de vivre, mais je ne crois à rien...

Nuit d'horreur et de cauchemar, la petite lampe bleue couleur d'espérance au-dessus de la porte de la cellule de vos tortures morales. Pas de drame, « ce n'est pas si terrible ici » comme il dit. Un plafond de couleurs qui tourne autour d'une angoisse, l'intuition, le début de la vraie réflexion sur « un » rêve. Je saurai bientôt, je vais sauter de la tour la plus haute... et ce sera un soulagement immense de s'écraser enfin avec violence sur un trottoir pavé de vérité. -

Un bruit de clefs, le verrou grince ainsi qu'une plainte sans éclat, des murs, des murs, toujours eux, ils se rapprochent comme une camisole, ils giclent sur votre peau blanche, vous étouffent et s'écartent à nouveau pour reprendre leur élan. C'est peut-être le vol d'un oiseau qui s'en va vers nulle part ou le sillage d'un bateau qui s'en va vers une île, c'est peut-être la traînée que vous laisse la morsure de parent ou l'injustice d'un tribunal de l'imaginaire, à moins que vous n'appeliez cela la fièvre.

Près du bureau des infirmières, une femme assez vieille et très bien habillée, coiffée d'un chapeau de feutre, munie d'un sac en cuir d'un goût douteux, attendait d'un air heureux. C'était la mère de la quatrième anorexique. Une infirmière était entrée dans la chambre d'Isabelle pour prévenir leur rencontre et débitait vraisemblablement ses dernières vacances ou le film de la télé.

« Laissez-moi sortir, je veux la voir, je sais qu'elle est dans le couloir, vous venez me parler pour que je ne puisse pas la voir, laissez-moi... »

Sanglots, la mère a reconnu la voix... larmes de rage.

« Vous connaissez ma fille ? Comment va-t-elle ? »

Je l'aurais tuée... Elle n'avait donc pas entendu ces cris... Pas remarqué le couloir ? Le verrou sur la porte ? L'infirmière ? La grosse fille ? Est-ce donc cela une mère ? Regardez, mais regardez donc, la réponse est là et votre fille crie, elle vous l'envoie au visage ! Jouer l'innocence, c'est tellement facile...

« Aussi mal qu'on peut aller ici. »

Moi aussi, je devenais sadique ! Sadique pour quoi, pour qui ? Je trouve que ça fait encore plus mal, l'insulte se retourne contre vous, subtilement... le sadisme serait donc du masochisme ?

« Elle n'est pas trop déprimée ? »

Peut-on être aussi lâche ? Le psychiatre arrive et la bonne conscience de la mère est sauvée. Isabelle pleure sur son lit dans un sursaut incroyable de haine et de malheur. Elle est tombée dans le coma. D'abord, ses mains se paralysèrent tandis qu'elle pleurait convulsivement de peur, puis les nerfs craquèrent et elle resta évanouie sur son lit. Tapies et silencieuses chacune à un bout du lit, nous nous regardions en pleurant, on nous jeta dehors comme des sales mômes qui sont trop curieuses.

Les parents de Dominique vinrent la voir ce jour-là. Ils étaient arrivés la veille mais il lui manquait trois cents grammes, et le règlement, c'est le règlement.

Une grosse mère mal habillée, un manteau trop long, une petite valise à la main, un paquet dans l'autre. Une femme de province au visage insignifiant, froide comme le carreau. Un homme moustachu, veston un peu mieux brossé que d'habitude, et casquette de paysan, un sac de cuir à la main, des chaussures craquantes, celles des jours de visite...

C'est donc « cela » qu'elle adore ? Mais je n'ai pas le droit de dire ça ! Ils sont peut-être très gentils, très généreux, très doux... Non, je ne dois pas réfléchir. Elle peut adorer des gens comme eux, je n'ai pas le droit de juger. Elle a dû considérer ma mère comme une sale bourgeoise de la ville et mon père comme un fou de l'autre pavillon, mais, elle, peut les juger, elle, peut y penser, ils ne méritent que d'être enfoncés ! Malheureusement ils savent trop bien se défendre, invulnérables parce que tellement égocentriques. A l'abri derrière leurs œillères, eux, au moins, ont la possibilité de se protéger, moi, je continue à subir leur odeur fétide.

« Bonjour ma chérie. Dis-moi, où sont les toilettes ? »

Fais-toi mordre par un cafard tout noir et tout laid ! Je parie que tu ne vas même pas les voir !

« Dis donc, ce n'est pas très propre... »

Désolé, mon cher père, ce n'est pas moi la maîtresse de maison, ce n'est pas la peine de me retourner ça avec un peu de mépris : « Quoi, tu vis là-dedans depuis trois mois ! » Tu n'avais qu'à venir me chercher si tu es tellement dégoûté ! Mais voyons, il est plus facile d'attendre et de dire que l'on ignorait :

« De toute façon, ce n'est pas vrai, tu n'es pas malade. Si j'avais été là, je ne les aurais pas laissés t'enfermer ! »

Bien sûr, tu peux dire cela à ton aise, tu ne te compromets pas... D'ailleurs tu t'en fous pas mal de moi. Si « tu avais été là » tu aurais gueulé après les autres pour bien leur montrer que c'était de leur faute, qu'il n'y avait que toi capable de ne pas me traumatiser, toi capable de me comprendre. Vous ne trouvez pas cela révoltant ? D'autant plus que la colère ne sert à rien dans ces cas-là. Il faut les laisser débiter leurs conneries en essayant de retenir tout ce qui voudrait éclater, gicler sur leur ivoire protecteur.

« D'ailleurs, ta mère... dire que c'est elle qui t'a mise là... »

Un petit progrès dans le genre mais tu ne m'auras pas. Toi aussi, tu sais que je la déteste, c'est pour ça que tu viens de l'attaquer. Ton esprit tellement « intelligent » ne t'a-t-il jamais suggéré que tu étais sur la même liste ? Toi, tu ne fais rien mais tu laisses faire, c'est pire encore.

« Tu vas voir comme je vais l'engueuler... »

Décidément, ils sont tous aussi lourds. Ils ont peur que je ne comprenne pas... et ce sont eux qui n'y comprennent rien.

D'ailleurs, moi je compte pour du beurre rance. Ils viennent se décharger dans ma chambre l'un sur l'autre. Ils imaginent leur ennemi ici le lendemain et lui adressent dès à présent les insultes dont, demain, ils ne pourront pas l'accabler. Je suis à la fois le catalyseur, l'intermédiaire, l'œuf pourri...

« Tu diras à ta mère que c'est une salope...

— Tu pourras dire à ton père qu'il s'en fout de ses enfants...

— Le psychiatre lui plaisait pour qu'elle t'ait mise là ?

— C'est facile d'accuser, la doctoresse lui plaisait bien... »

N'écoute plus, laisse-les se parler par fluides interposés entre esprits, ils ne valent la peine de rien, ils sont laids, vieux...

La porte s'ouvre, une boule noire... Visage coléreux et légèrement dégoûté qui se raidit et se protège devant l'homme affalé sur la chaise en train de gémir et de critiquer.

« Tu peux sortir, je viens voir ma sœur. »

Les rides se figent.

Ah! tu le savais! tu étais venu exprès pour coincer ton fils : « il sera bien obligé de me voir, ce sale môme... Le " petit ange " me permet de le tenir enfin! » Tu n'as qu'à les avaler tes vengeances en forme de phrases toutes préparées. Tu es ignoble. Rictus de haine et de colère sur ce visage d'homme aigri et laid.

« Tu peux la voir, je n'ai pas besoin de partir. »

Petit rire nerveux. Tu te trahis, tu n'avais pas prévu sa réaction, pour toi, personne n'a de caractère, tous se plient à ta minable intelligence d'obsédé.

« Tu sors et tu attends dehors c'est tout ! Je ne veux pas te voir ! »

Il se lève, coléreux. Bravo, tu l'a touché en plein dans son orgueil nauséabond !

Tu le détestes vraiment ton fils, hein ? Est-ce parce que tu te sens possédé et dépassé ? Bien sûr, tu ne l'avoueras pour rien au monde... « C'est pas un môme de quinze ans qui va m'avoir », mais ce départ forcé, pantelant, aussi ridicule...

Plus tard, j'ai su que mon père devant le psychiatre avait accusé son fils afin qu'il le convoque. Ainsi, il lui suffisait de venir me voir ces jours-là. Bel exemple d'amour paternel ! Pourquoi le détestait-il tellement ? Justement parce qu'il était repoussé et « possédé », sa colère ne pouvait pas s'accrocher sur la « chair de sa chair ». Il était parvenu à son but et venait consciencieusement à l'heure des visites afin de se jeter sur son « fils ». Il venait ainsi de se faire avoir !

Imaginez-vous cet homme ? Essayez encore. Un nez écrasé, des yeux rageurs, un plan foutu...

« Vous comprenez, monsieur le psychiatre, il faudrait savoir si son frère n'est pas névrosé, ou frustré, cela peut très bien venir de lui, après tout... »

Réfléchis bien... Le médecin ne passe dans ce service que le jeudi et le vendredi...

« Il faudrait que vous le connaissiez, ce serait plus clair pour vous. »

Tu ne viendras que pour croiser ton fils dans le couloir et puis il ira ensuite voir sa sœur... tu seras dans la chambre.

« Vous savez, il a des réactions bizarres avec moi... »

Moi, comme toujours, je ne dis rien, je ne fais rien, je suis la lavette de l'hôpital, la sans-énergie, sans-réactions. Eux, ils viennent régler leurs affaires dans mon domaine, je ne compte pas, je suis écrasée sur le lit blanc affable comme quelqu'un que l'on traîne derrière soi pour en faire ce que l'on veut.

Pour une fois, c'est moi qui vais parler ! Il me regarde bizarrement, bien sûr, je n'arrête pas de dire les kilos, les filles folles, la prison : ils m'ont eue. Je suis détraquée. Ils m'ont eue. Je ne sais plus... c'est l'heure de l'humiliation, l'heure des plaintes et des gémissements... Jusqu'à ce jour, ce sont les visiteurs qui ont laissé leur colère écrasée sur le carreau de ma chambre comme une vomissure, et moi qui ai subi l'humiliation, les plaintes et les gémissements... Mais comme toujours je poursuis le mauvais chemin. Ce sont les kilos, les filles folles, ils m'ont eue. Je suis détraquée. Ils m'ont eue. Je ne sais plus...

Le monstre paternel est revenu, rageur il n'a que moi sur qui passer sa colère.

« Tu ne trouves pas honteux qu'un fils fasse « ça » à son père ? »

Et toi, tu ne trouves pas infâme tout ce que tu as essayé de faire à ton fils ?

J'arrête l'entretien, son imbécillité et sa mesquinerie en sont indescriptibles, mais que trop facilement imaginables.

« Regarde le plafond, des carrés de carton assemblés, un, deux, trois, le troisième bâille, on pourrait l'enlever, on atteindrait le toit... on sauterait par-dessus les grilles et ils ne nous retrouveraient plus...

— Monte sur le lit. Tu y es, c'est bête, c'est trop

haut... il faudrait que je saute, ça va me faire maigrir.

— Ça ne fait rien, demain ils ne pourront plus
nous peser comme des oies, on sera parties.

— Non, on va plutôt faire une bataille d'oreil-
lers, c'est mieux, je vais chercher le mien...

— On pourrait le faire passer par la fenêtre, ce
serait amusant.

— Tu ne sais même pas viser, tu vas voir,
regarde.

— Raté ! à moi.

— Merde ! Comment va-t-on faire ? Peut-être en
demandant à Véronique... contre des bonbons,
elle ne nous refuserait pas ça...

— C'est toi qui le lui proposes ?

— Oui, elle m'aime mieux... »

Folie douce qui vous guette au coin de la cellule
comme la case de l'enfer quand on joue à la
marelle...

« Dis, si on s'amusait à faire manger à Isabelle
tous les gâteaux qui nous restent ? Nous, on s'en
moque, on n'en a plus besoin...

— Toi, gardes-en assez pour prendre tes deux
derniers kilos, moi, j'en garderai pour mes trois
cents grammes... »

Sadisme.

« Tiens, Isabelle, tu veux un gâteau ?

— Oui, donne-moi un gâteau s'il te plaît... »

La boulimie, c'était à la fois étonnant, incom-
préhensible pour nous... et un peu rassurant.

« Encore un, là, le paquet est presque fini... je
vais t'en chercher un autre... »

C'est fou, elle le prend, le jette dans sa bouche
et se précipite sur celui qu'on lui tend...

Ce n'est plus toi qui ris, à mon tour... Demain,
elles ne vont rien te donner à manger lorsqu'elles

s'apercevront... Elles vont croire que tu as volé dans leur dos... Elles avaient pourtant bien élaboré ton petit régime... A moi de rire, perfidement, méchamment, stupidement...

Allongée sur son lit, elle mâche soigneusement... mais vite, prestement pour que personne ne puisse la surprendre... « Encore un Isabelle... Elle n'est pas là, elle ne te verra pas. Attends, il y en a encore au chocolat... ça te plaît, hein? C'est bon, tu ne pourras plus me faire peur ni horreur, je suis méchante, stupide, perfide... Tu n'en veux plus... Mais si, attends, je t'apporte un verre d'eau pour faire passer tout ça, Dominique est en train de remplir un broc... Tiens, prends encore ça en attendant... Il y a longtemps que tu n'as pas mangé, hein? C'est quand même meilleur que les tartines de pain rassis... Toi, ça t'est égal, tout est bien... tout ce qui se mange... »

Je me dégoûte... et pourtant je continue à rire, à lui tendre des poisons, des grammes, des punitions... « Tu ne partiras pas en permission, tu as volé, tu as pris quatre kilos, qu'est-ce qu'elle a pu prendre pour grossir autant...? »

« J'ai apporté un feutre, on va lui dessiner des petites fleurs sur les joues, elle va devenir enragée... Arrête de lui donner à manger, d'ailleurs elle a presque tout fini... »

Des cils bleus sous ses yeux méchants... Des fleurs à pétales sous ses lèvres... Elle court vers le lavabo et se frotte la figure nerveusement en avalant le dernier carré de chocolat de notre réserve...

9

Dans trois jours je ne les verrai plus... je suis horrible. Je ne peux aimer personne. Ces autres anorexiques m'ont aidée, je me suis servie d'elles et je les laisse se débrouiller avec ces sales murs... J'ai fait semblant de m'intéresser à leur vie et c'était la mienne que je cherchais à travers la leur. A cause de cela j'ai perdu mon entêtement, l'intensité de mes sentiments, abandonné ma révolte et mon désir de vengeance.

Je déteste la femme qui va venir me chercher, pourtant, même « dehors », je continuerai à la laisser s'insinuer comme une vipère dans mon rêve... Je ne suis plus qu'une larve. Je me venge sur une grosse fille folle qui n'a que l'apparence de la méchanceté.

Ils m'ont possédée jusqu'au bout, je n'ai même pas le courage ni la franchise de me l'avouer... Je me déteste. Je veux rester dans ma misère, seule, révoltée contre moi. Je n'ai pas su leur résister, ils sont arrivés à ce qu'ils espéraient et j'ai suivi leurs ordres à la lettre comme un caniche sans pensées, comme une lavette empuantie par leur saleté.

Le couloir prend un nouvel aspect, bientôt je ne le traverserai plus en me levant le matin, bientôt

j'aurai besoin d'un autre rêve... Je souris en les
regardant ranger leurs tables de nuit, leur misère
ne me touche plus. Je me referme sur cet espoir,
sur cette certitude, moi, je sors. Je n'appartiens
plus à leur univers de folie; je vais retrouver les
« gens normaux »...

Moi. Moi, je me déteste pour ce que j'ai fait,
pour ce que je fais, pour ce que je vais faire. La
fille qui disait avec orgueil : « Ils ne m'auront
pas », cette fille a disparu entre leurs murs de
saleté, je suis perdue, ils en ont fabriqué une
autre, larve, serpillière, une autre comme ils la
voulaient... J'ai cédé à leur chantage, à leurs
désirs, à leur corruption, je suis une personne à
leur image, une personne « comme eux ». Je me
trouve laide lorsque je me regarde dans leur
miroir. Je suis laide, lâche, mensongère, serpillière...

Trois jours avant Noël. Les enfants abandonnés
resteront dans ce dortoir avec dans le ventre un
dessert un peu meilleur que les autres jours et la
solitude de leurs pensées. Moi, je serai dans une
« famille », ce mot m'écorche les lèvres comme
une lame de rasoir. Je suis infecte, vous avez raison, je vous approuve. Demain, il y aura une fête,
une troupe de musiciens qui viendra pour amuser
les enfants. Et moi, je trouve qu'on ferait mieux
de les laisser seuls, ne pas les rendre joyeux pour
qu'ils soient ensuite encore plus malheureux... Les
autres ont franchi les bureaux, les autres vont
pouvoir acheter des cadeaux, de la musique et du
parfum. Eux, ils s'endormiront derrière les murs
de ce pavillon sale et silencieux. Ils pleureront un
peu parce que les larmes sont chaudes et récon-

fortantes, et puis le sommeil les torturera avant de les livrer aux drogues avalées...

Deux corps allongés sur un lit, deux esprits qui ne veulent plus rien sauf se complaire dans une dernière tentative de révolte.

« Je ne veux pas y aller à cette fête ! Vous nous avez enfermées, forcées, détruites et vous voudriez qu'on aille rire avec les fous ? Non ! »

L'infirmière aux yeux verts attrape un bras... Un corps qui s'écrase sur le carreau, un bruit sourd... Une haine qui ne se révolte pas. Peur, lâcheté, je ne crains plus rien, demain, je ne serais plus là... je la regarde sans la voir, et je la suis dans le couloir comme un chien, comme une larve... une l,a,r,v,e.

Dans une salle, des artistes se maquillent. Blanc de mime, paillettes sous les yeux, étoiles fascinantes... Je pleure, moi, j'étais comme eux, le premier jour où j'ai regardé mon visage dans le miroir... Maquillée comme eux, avec mes cernes et ma pâleur. Maintenant, je ne suis plus rien, j'aimerais les rejoindre, je ne peux pas, je me déteste trop.

Ils m'ont emmenée avec eux comme si je méritais une faveur, leur amitié... Oui, j'aimerais tant l'avoir, mais je ne peux pas l'accepter, je suis laide, folle, serpillière...

Ils m'ont maquillée et ont ignoré mes larmes de honte, de désespoir. Ils m'ont traînée dans leur défilé à travers la cour sous les regards méprisants des médecins récalcitrants... « Saltimbanques, clowns... » Trompettes, saxophones... misère... Comment font-ils pour embrasser ces peaux brûlées, ces regards méchants, ces yeux hagards... ? Je me suis réfugiée sur un banc, tremblante de larmes, déchet sans joie, sans rien, je me déteste.

« Tu viendras nous voir au théâtre... Tu sors bientôt ? demain ?

— On a demandé aux infirmières pour t'emmener boire un pot, mais elles n'ont pas voulu. »

Comme si j'allais m'échapper, le dernier jour.

Ils avaient organisé un bal. Mal au cœur, une grosse fille qui danse en levant ses jupes, un regard vert et beau qui me suit à travers un voile afin de cacher l'évidence du dégoût. Une angoisse insurmontable... Peur de cette foule, de cette joie, peur de moi-même, terriblement peur. Contradictions torturantes, j'ai envie de crier, de me tuer... J'ai saisi la voix et je ne peux pas me montrer... — je suis trop horrible...

« La plus jolie, viens danser avec moi. »

Est-ce qu'ils sont tous comme ça dehors ? J'avais raison de rêver... J'ai peur, le bruit, la musique m'effraient, je ne sais plus rien, je ne sais plus...

Isabelle erre dans le couloir en pleurant, Patricia s'amuse avec un bout de ficelle et moi je ne serai plus là demain. Pourquoi me sentirais-je coupable ? Je ne le comprends pas. Enorme trou béant de ténèbres, qui suis-je ? où suis-je ? je n'en sais rien, je ne pourrai jamais plus me retrouver. Est-ce important ? Je n'étais pas comme il aurait fallu être, je ne suis plus comme je voudrais être. Ils ont tout faussé dès le départ. Ils ne m'ont rien appris. J'ai choisi le chemin de ronces parce que je le croyais moins hypocrite...

Christine avait pris un kilo en deux mois. Elle ne parlait pas, elle s'enfonçait dans leur monde de folie. Dessins sur les murs, essais de maquillage, pour qui ? pour quoi ? Quelquefois elle pleure, souvent elle fait semblant de rire. Chaque soir, je la vois se diriger vers le cagibi des poubelles avec ses paquets de purée et ses tartines cachées, sa démarche de chat, ses cheveux roux et ondulés. Non, je n'ai pas pitié, je la traite d'imbécile parce qu'elle n'acceptera jamais leur chantage, je le sais. Moi, je me suis fait avoir minablement... Mais moi, je vais sortir. Demain à la même heure, je serai loin de ces murs, de ces verrous, de ces clefs qui tournent, de ces enfants fous...

La nuit est là comme un défi et toujours la veilleuse. Je pourrais rester dans cette chambre toute une vie, additionner toutes les périodes que les malades folles du pavillon psychiatrique y ont passées. Est-ce vrai, est-ce vrai qu'ils me laissent sortir ? Non, ce n'est qu'un leurre, ils laissent sortir mon corps, mais moi je reste là, derrière ces murs, dans cette île de folie. Moi, je ne sais pas si je pourrai jamais en sortir. Ils emprisonnent mes pensées avec les âmes des fous, accrochées dérisoirement à la tige de leurs clefs.

Comment vivre lorsque l'on a en soi la certitude d'une lâcheté inadmissible ? Lorsque l'on sait que des centaines de gens sont victimes de cet emprisonnement inhumain, des gens merveilleux dans leur refus extrême qu'ils crient à la face du monde ? Eux, tellement nobles dans leur force, courageux par leur intensité.

Comment vivre ? Qu'est-ce que la vie ? Une médiocre prostituée de bas étage, qui vous fait payer une passe de dix minutes avec votre âme dépravée; une fille des rues que l'on aimerait dire laide et qui vous vole tout, jusqu'au plus profond du cœur. Comment peut-on lutter contre un chantage ? Une tentative, un sursaut et elle vous arrache les entrailles en vous laissant tordu de douleur sur le lit de cet hôtel minable... Elle ne connaît pas la beauté et ignore celle de ces femmes, sans puissance à côté d'elle... Une véritable jalousie, elle n'a pas de mœurs et possède le monde.

Ce pourrait être également un minable rêve d'enfant fou, un fantasme de liberté, une illusion. Non, le sac est là, sur le sol, prêt à m'emmener, prêt à franchir la porte de l'hôtel de la rue Saint-Martin sans regarder la femme qu'il laisse sur le lit, sans penser à la terrible maladie qu'elle a déposée au creux de votre ventre.

Les ténèbres éclairées de la veilleuse bleue tournent dans le manège de foire avec une amère couleur d'espérance, je me suis trompée, c'est le vert... Je me suis trompée moi-même avec un mythe qui est resté écrasé sur le carrelage, avec une forme de cafard, repoussant... Pourtant, je dois vivre, c'est la seule contrainte, la seule loi. Je n'arriverai jamais à me battre pour cette prostituée... Elle le fera pour moi, parce qu'elle n'admet aucune évasion dans la liste de ses prisonniers. Déjà je suis inscrite, affable, dérisoire, elle s'occupera de mon corps... Même de mon âme. Je ne suis rien. Je ne m'appartiens plus. Ils ont tout saccagé.

Je vais apprendre un autre langage, remettre les mots en question, les phrases courent dans tous les mauvais chemins, comme des araignées dont les pattes se meuvent trop vite pour votre esprit alangui, je ne peux plus rien faire, tout est parti, je reste allongée sur ce lit trop dur, dans des ténèbres trop impénétrables.

Le grincement du chariot des draps sales.

L'infirmière aux jambes variqueuses de veines bleuâtres et violacées se penche au-dessus des lits... Je ne saurai peut-être jamais pourquoi. Pourquoi tous ces enfants sont là, entre ces peintures jaunes, murs lisses afin que rien ne s'y accroche. Il me semble que plus rien n'a d'importance, j'ai tout oublié, un énorme vide à la place de quatre mois, j'ai perdu la mémoire pour mieux me plier à leurs exigences, je n'existe plus et pourtant ils me laissent sortir... C'est exactement pour cela que tu peux reprendre ta médiocre liberté et partir en leur crachant au nez, tu es inoffensive.

« Cette » femme est arrivée avec son sourire figé de robot idiot, elle a pris le sac sans soupçonner le rêve, mais c'est vrai qu'elle ne doit pas savoir imaginer. Une terrible angoisse, quelque chose qui vous serre le cœur et ne semble plus vouloir vous lâcher; où donc est passé l'air? je ne sais pas, cela vous serre de plus en plus fort... Voilà à quoi ça sert de s'en préoccuper, il vous agresse, ses jambes tremblent comme des feuilles, son cœur bat comme si on le menaçait de...? Je voudrais que ça tourne, au moins, je ne pourrais plus penser à cette douleur qui vous prend entre les tempes. Je n'aurais que le temps de voir le mur se cogner contre mon visage et boire le sang de ce corps flétri, il y aurait ce vertige étourdissant pour occuper mes pensées et anéantir ma peur. Mais ils ont tout prévu dans l'autre sens, c'est toi qui l'as voulu, tu dois le supporter maintenant sans le secours d'un de tes rêves sordides et lâches. Affronte-le et cesse de te cacher derrière des images comme une petite fille peureuse !

Il faut mettre un manteau pour être confrontée au monde, et revêtir les formules de politesse oubliées, les sourires restés dans le premier bureau de la douane. Non, je n'éprouve aucune joie. C'est étrange et révoltant, j'ai presque la sensation de perdre quelque chose. J'ai pensé à ce moment, à ce jour sous toutes ses formes, sous tous les aspects et aucun n'était le vrai. Je me tromperai donc toujours jusqu'au plus profond des choses ? Ce n'est pas une vengeance, pas un projet, pas une rancune, pas une joie, pas un plaisir, pas un cri, pas un soulagement, pas une satisfaction, pas de l'orgueil ! Non, je ne sens que le vide en moi, un énorme vide, aussi insondable que celui des couloirs.

Pour la dernière fois, je marche sur ce carrelage retentissant des cris de douleurs, pour la dernière fois je croise cette grosse fille qui rit... Et ça ne me fait rien, je ne peux pas y penser, je voudrais sentir une immense joie m'envahir et je ne sens que la réalité. Je ne la verrai plus jamais cette infirmière à plateaux... et je m'en moque !

Je me suis encore trompée ! Ils m'ont eue ! lamentablement ! Je me suis laissé faire ! Mais attendez un peu, je sors ! oui, je n'ai pas honte de le dire, je vais recommencer ! Et je ne me laisserai pas enfermer, je partirai sur mon île bien avant, je ne veux plus voir les gens, je veux rester seule !

« Tu nous écriras ? »

Je ne dépendrai plus de personne, face seulement à mes propres pensées dégradées. Pourrais-je leur redonner un semblant de noblesse ? Elles se sont d'abord ankylosées, puis paralysées. Ils les ont écrasées avec les cafards de la salle de bains.

Les marronniers de la cour passent entre les barreaux des fenêtres le long du couloir. Pourquoi les ai-je trouvés si beaux ? Maigres, moroses, ils essaient misérablement d'étendre leurs bras sque-

lettiques vers un ciel gris d'hiver et trônent ridicu-
lement sur ce domaine minable.

Où mène-t-il donc ce couloir? On ne peut en
voir le bout, il se perd entre les pleurs des filles
folles et les cris des garçons fous. Je ne le vois
plus, bientôt le silence de mon univers ne sera
plus coupé que par la musique, celle de la maison
aux lumières tamisées...

Un radiateur, deux radiateurs... Non! Je sors, la
« liberté » m'attend là, tout près, et je m'amuse à
compter les radiateurs! Trois radiateurs. Un premier bureau, un réfectoire trop long. Les talons
de « cette » femme frappent le sol. Elle me marche dessus toujours avec un peu plus de convic-
tion, elle a retrouvé sa « chose », elle va pouvoir
l'exhiber, la montrer à la concierge, et à la bouchère. « Regardez comme elle est belle maintenant, et gaie. » Mon regard se fixe sur un horizon
inconnu, je n'espère déjà plus rien, je ne projette
rien, je n'ai pas de volonté. Rien. Même pas le
sursaut de juger « cette » femme et de la quitter
dès le seuil franchi.

Mais il y a encore des milliers de bureaux à
passer avant d'atteindre la véritable sortie... ça
peut me prendre des années, et même des vies
entières... J'ai oublié de les compter. Je parle des
radiateurs... Un garçon sans jambes. Un coup de
talon dans l'œil, une goutte de sang gicle sur ma
main, la vue du sang me paralyse. C'était de la
confusion! Pourquoi n'y avais-je pas pensé? Troisième bureau. Est-ce possible? Dernier vestiaire
avant de sortir du « pavillon des enfants fous ».
Une voiture blanche. Impression bizarre, ils per-
dent du temps à s'occuper des autos? « Dehors »
ils sont donc futiles? Non, c'est impossible, n'y
pense pas maintenant, d'ailleurs il y a encore une

distance infinie avant de franchir la véritable porte... Regarde derrière toi, tu ne le verras plus jamais ce mur, ni cette chambre, ni cette clef... Je roule vers la liberté depuis un temps monstrueux, pourquoi la porte n'est-elle pas encore là ? M'emmène-t-elle vers un autre pavillon ? Elle ne parle pas, un visage dur, tout en angles, je la déteste...

Un vrai labyrinthe de chemins, de trottoirs roses, d'infirmiers blancs. Un papier à signer... Elle reprend sa « chose » sans scrupules, sans reproches, avec au coin des lèvres un sourire perfide et possessif.

Dans deux minutes, je vais revoir la rue, ses gens, ses boutiques... Et ça ne me fait rien ! Mais pourquoi ne suis-je pas descendue de la voiture en déclarant que son imbécillité et sa méchanceté m'interdisaient de lui parler encore, de la voir même ? Pourquoi ne l'ai-je pas frappée ? Je ne suis qu'une larve blottie au fond de mon siège, meurtrie de peur, masquée d'affabilité.

Les gens de la rue sont ignobles. Leurs paroles sont fausses, forcées tout comme ces bouchées enfoncées au fond de la gorge, outils d'un chantage inébranlable. Ils disent : « Bonjour madame, comment allez-vous ? » Rendez-vous compte ! Ils s'en moquent pas mal seulement la cliente dira : « Ils sont plus aimables ici. En face, ils ne posent jamais de questions. » Mais ne me souriez pas !

« C'est votre fille ? Elle a grandi ! »

Son intérêt sentimental n'est qu'un prétexte pour se remonter dans sa propre estime.

Là-bas au moins, ils fermaient la porte et tournaient la clef ! Pas de mensonges ! Vous restiez seul sans faux-semblant, sans la pitié humiliante de celle qui fermait tout de même la porte. Et pourtant en éprouver est un signe d'égoïsme, d'incompréhension ou de faiblesse, mais ce n'est pas ce que l'on nous apprend : « Il faut avoir pitié d'eux, ce n'est pas de leur faute! »

J'ai compris. La moitié seulement de moi a compris puisque ma voix stupidement parle à cette femme que je déteste et que je n'ai même plus l'orgueil de détruire en lui jetant au visage ces phrases qui m'ont si longtemps torturée et qui ne cesseront jamais de le faire tant qu'elle ne les aura pas entendues. Mais elle ne comprendra pas, son portrait lui échappera : « C'est celui de son père! »

« Pourquoi parlent-ils tous comme ça? Avec ce sourire figé? Ils s'en moquent que tu ailles bien ou pas! Tout me paraît tellement hypocrite!

— Oh! ne commence pas à critiquer tout le monde, ils sont gentils ces gens! »

J'avais raison, je le savais. Mais alors pourquoi ma voix a-t-elle parlé? Pourquoi je ne la laisse pas avec son camembert à la main et ses phrases déjà prêtes : « Ne recommence pas, mange ce bout de fromage! Tu crois que ça va aller avec ce que tu manges? Je te ramène à l'hôpital si c'est ça! »

Mais que m'ont-ils donc fait? Qu'est-ce qu'ils ont tué en moi pour que je sois aussi inerte? Je pourrais lui déclarer que je rentrerai ce soir pour dormir, que des amis m'attendent, que je ne peux pas aller « voir ma grand-mère » cet après-midi, que je les emmerde tous, que je les hais!

J'ai retrouvé ce grand bâtiment en forme de bloc, et cette chambre qui n'a pas pu, asurément, être la mienne. C'était une petite fille qui dormait ici avec son ours et ses dessins... Une petite fille de six ans. Je ne sais plus mon âge, est-ce que j'en ai vraiment un? Intelligente? Je n'ai jamais trouvé quelqu'un d'aussi stupide et anéanti que moi.

Vous me voyez ? Je ne suis nulle part à ma place. Je n'ose plus m'asseoir n'importe où ni regarder n'importe quoi... J'ai peur des critiques, des réflexions, je ne sais même pas que j'existe, que j'ai le droit d'exister. Si j'en avais conscience, je les plaquerais tous, là, comme des serpillières encore plus puantes que la mienne et ils diraient que je suis partie voir ma tante... Mais pourquoi ne puis-je plus réagir ? Pourquoi ?

Une sonnerie de téléphone. Elle me passe l'appareil avec mépris et reste derrière la porte.

« Alors, tu aimes le théâtre ? C'est cet après-midi à trois heures. »

Elle commence à reluquer les assiettes, me toise avec haine comme si je lui arrachais les entrailles et débite ses phrases perfides :

« Mange encore ça ! Sans ça je ne te laisse pas sortir ! Tu veux que je t'y ramène ? Dis-le ! »

Ridicule, avec son maquillage de femme qui attend son amant, toujours avec l'attitude de quelqu'un qui joue un rôle pour les autres.

« Alors, tu me laisses tomber le jour de ta sortie ? Qu'est-ce que vont penser les gens ? Et ta grand-mère alors, tu ne vas pas la voir ? Je t'aurais emmenée au cinéma... »

Comme un petit chien, hein ? Regardez-le, il me fait des caresses, et puis au moins, il ne répond pas. Tu ne m'auras pas, je préfère les coulisses des théâtres aux mesquineries des mères... D'abord « mère », ça ne devrait pas exister. Elle répond au téléphone, voix de miel. Pour moi, elle prend sa voix de bourreau ; elle me déteste aussi mais ne se l'avouera pas.

« Comment ça va mon chéri ? »

Il faut avoir un cœur bien accroché pour sortir avec une femme pareille et faire semblant de l'aimer. Ce n'est pas qu'elle soit laide, elle serait plutôt belle, mais de cette beauté agressive, pleine de défi, violente. Mais bien sûr, j'oubliais qu'eux, ils ne connaissent que le sexe, ils se moquent du reste, ils n'aiment que la vulgarité, que le vice. Vous comprenez cela, vous ?

« Ce soir ? Huit heures ? D'accord. »

Son visage n'est plus le même, un sourire se cache, un sourire perfide de femme qui a trouvé.

« Je vais m'ennuyer sans toi, ce soir... »

Pourquoi je ne lui renvoie pas : « T'auras une compagnie plus amusante... »

Ma « liberté » n'était donc qu'un mythe. J'ai ouvert la première porte et il y en a encore des milliers à franchir avant d'atteindre mon rêve. Je suis dans une autre prison où on vous laisse l'illusion de ne pas être enfermé. Pas de verrou et pas de clef, seulement, juste après le pas de la porte, le gouffre.

Le vide m'attire, je regarde par la fenêtre le trottoir rose, les petits ronds d'herbe... Je pourrais aller les toucher... Le carré de ciel est plus grand mais il ne sera jamais tout entier à moi. Je pourrais me laisser tomber... pour voir ce que ça fait, la véritable violence... Un corps tout écrabouillé ?

Non, il faut choisir quelque chose de plus propre. J'aimerais sentir ma tête tourner, le bloc de gauche viendrait me taper les tempes... celui de droite s'écraserait sur mon visage. Juste le choc de tout recevoir en même temps, et je n'existerais plus... Pour personne, pour rien...

Ce sont eux qui avaient raison, ceux qu'ils appellent « les fous ». Ils savent la vérité. J'ai remonté un barreau de leur échelle et j'aurai toujours l'angoisse d'en retomber...

Ils restent dans leur univers et se protègent à leur manière. Quelle importance? La vie ne vaut pas que pour ses beaux yeux l'on se pose des problèmes insolubles. Ils sont restés là-bas derrière les murs. Moi, je suis derrière un autre mur, un peu moins infranchissable mais tout de même inébranlable. Les gens de la rue sont fous, on ne les enferme pas, eux font enfermer ceux qui leur déplaisent, c'est injuste. Je les déteste tous. Ils sont en train de rire, ils ne comprennent rien et moi je ne veux pas les comprendre. Non! Je ne me laisserai plus avoir. Je ne leur céderai plus! Ce n'était qu'une illusion je ne « sortirai » jamais. « Dehors » ne veut rien dire, le vrai « dehors » est à des milliers de distance de notre pauvre monde de déchets, à des milliers de siècles... Je ne l'atteindrai jamais... Mon rêve est mort.

Je vais en inventer un autre. Un théâtre tout en bois, les songes sous mes yeux sont offerts, je n'ai qu'à choisir. Un regard vert me maquille. Un vrai sourire malgré le blanc et le violet à lèvres. Une vraie main qui n'agresse pas la peau. Je sais que c'est réel mais que ce n'est qu'un rêve, un flash qui va bientôt s'évanouir et me laissera pantelante de malheur. Pourquoi ne pas essayer de m'agripper à cette parcelle de vérité qui pourrait se transformer en un mythe, un fantasme...? Une chance de te rattraper. Mais pourrais-je jamais lui parler? Il a vu cette énorme fille, il m'a vue pleurer en la regardant. Il me sourit maintenant. Ma gorge se serre, je ne peux pas prononcer une seule phrase, pas un seul mot.

« Ça fait du bien, la liberté? »

Je voudrais lui parler, dire tout, lui dédier ces pages...

Terrible silence, lui aussi m'a possédée... Je ne suis qu'une serpillière... Il dessine sur mes lèvres : « Ne bouge pas. » Si je criais, tu m'écouterais, n'est-ce pas ? Magie des couleurs, du maquillage, des costumes... Moi, je ne suis rien. Je les regarde et je ne les porterai jamais ces tissus d'un autre monde; peut-être ceux de mon rêve. Celui que je croyais intouchable, eux l'ont atteint : une scène, des loges, des miroirs, une tristesse s'empare de moi, elle ne m'abandonnera plus. Non, ce n'est plus le vide, mais peut-être est-ce pire ? Pourquoi est-elle là puisque mon rêve est proche ? Elle m'empêchera de l'atteindre, la tristesse est jalouse et, tellement plus... J'erre à travers les couloirs aux carreaux de bois, il m'a possédée jusqu'au bout, oui, je suis restée là-bas, dans la chambre vingt-sept, première à gauche, là-bas dans le silence du malheur et l'injustice de la folie. Je ne peux plus parler, chaque regard m'agresse et semble avoir une autre raison que l'attirance, que veulent-ils ? Non, ils ne veulent rien ces gens de théâtre, ils sont beaux et moi je me trouve laide dans le reflet de cette glace. Ils voudraient me prendre car le véritable miroir ne ment pas. C'est seulement moi qui veux me détester, mais mon visage est là : des yeux d'amandes, une forme trop douce... Il fait partie de leur univers et moi je continue à me détruire.

Je ne sais pas qui je suis, je ne sais même pas si je suis. Mes pas me portent sans que je sache où ils me mènent et ça n'a pas d'importance. J'aimerais ne plus rien savoir. Les trottoirs sont des couloirs où les passants marchent comme des fous, avec leurs gestes, avec leurs regards, avec leur folie. Ils n'ont pas besoin de calmants, c'est peut-être pour cela qu'on ne les a pas enfermés... Leur pavillon est mieux décoré, boutiques, arbres, voitures.

Ils n'ont la notion de rien, on peut leur faire payer une fortune un bibelot de foire, leur simuler une liberté, leur vendre des copies... Ils s'extasient devant une vitrine, se font un petit cinéma pour qu'ensuite la possession de l'objet devienne une joie encore plus forte, se saoulent de plaisirs médiocres, pour ne pas regarder en face la réalité.

Leurs pas ne résonnent pas sur les carreaux, les trottoirs sont bitumés pour rendre les chocs muets. Ils ont le regard vide sauf lorsqu'il accroche, au passage, un objet qui peut s'acheter, un corps de femme, une cravate de soie ou des boutons de manchettes; alors il devient prêt à tout, là est leur folie. Une folie qu'on veut leur apprendre : médiocre et fausse. Ils sont dérisoires et malsains. Je les regarde marcher dans ces rues illuminées, les couleurs cachent le vrai visage de la star, le maquillage lui donne une personnalité imaginée, et les jeux des projecteurs imposent une vision différente de son véritable corps. Jamais ils ne vont regarder ce qui se cache derrière les coulisses de cette trahison, ils y sont trop bien, ils ne veulent rien « gâcher ».

Plus rien ne tourne, tout est trop réel ici. Ainsi, c'est cela que j'ai voulu rejoindre, un univers de vente. Est-ce que je vais également me laisser prendre à ce chantage implicite ?

Des couloirs d'un autre gris, ils ont affiché des images pour empêcher les pensées de courir, mais moi, je n'ai pas la permission de sortir afin d'acheter des produits stupides, heureusement, je ne le peux pas.

Les files de fourmis folles, obsédées, traversent ces tunnels pour rejoindre leurs cellules aux murs peints. Elles se pressent vers leurs fantasmes de tissus soyeux et d'amours conditionnés. Leurs corps noirs s'amoncellent les uns sur les autres, dans les recoins d'un métropolitain crasseux où courent les rats sous les rails de la mort.

Des wagons de bétail, des banquettes orange et des tunnels de ténèbres, c'est cela la liberté, c'est cela que tu as voulu.

Non, pourquoi me suis-je trompée, dupée moi-même volontairement ? Voilà à quoi mène la lâcheté, qu'y a-t-il donc après cette seconde porte ? Une femme qui détourne la tête discrètement pour poser son regard sur les fesses d'un monsieur, un homme dont les yeux examinent avec concupiscence l'anatomie de cette dame postée devant la porte comme pour descendre.

Où suis-je donc ? Je me suis trompée de porte, ce n'était pas par celle-ci qu'il fallait sortir. Ne pensez-vous pas qu'ils sont plus fous que les autres ? Je veux dire que ceux qui sont dans le pavillon, derrière les murs d'un hôpital ? Quelques-uns se cachent derrière leur journal, d'autres font semblant de lire, d'autres encore happent du regard les passagers et leurs vêtements.

Ce n'est plus une nausée, ça serait tellement mieux... Je dois supporter et je dois attendre quelque chose que je ne connais pas... Non ! Plus de rêves ! Regarde-les ! Regarde-les donc !

Non, je ne le peux pas, il ne faut pas que je les observe, ça serait alors si tentant de me laisser prendre à une de mes folles spéculations : acheter une infinité de tubes de Valium par exemple... ou m'enfermer dans une salle de bain d'hôtel avec une petite lame de rasoir, trop lent et trop douloureux... oui, mais avec les cachets on ne peut jamais être sûr. Le vide, le choc du trottoir rend trop repoussant. Il faut savoir trouver la bonne veine avec les piqûres d'air... S'il existait un moyen sûr, infaillible, je crois que... Vous voyez, je mens encore...

Des noms de stations, des pensées de fuite... je ne connais que le rêve et je n'ai pas su m'en servir... Des gens en forme de clefs déambulent sans but, je ne saurai jamais trouver celle qui ouvrirait la bonne porte, d'ailleurs je ne sais même pas celle qu'il faut ouvrir.

Qu'attendais-tu ? la réalisation d'un fantasme encore plus fou ? Tu es risible ! Tellement risible ! Tu n'as qu'une maison où aller, qu'un lieu, pour regarder les murs au lieu de regarder ces barres de fer et ces ténèbres de solitude dans une foule... un lieu où erre une femme. Tu n'as même pas la franchise de lui cracher au visage. Tu n'es qu'une mauviette, qu'une serpillière. Et où vas-tu maintenant ? Tu vas la rejoindre, imbécile, lâche, hypocrite !

Une voix sifflante et pleine de haine.

« Ton père t'a appelée. »

Cela te rendrait jalouse si j'allais le voir, hein ? Mais, tu aimerais bien parce que tu pourrais me poser des questions.

« Au fait, comme tu n'as pas voulu que les médecins de l'hôpital te suivent, j'ai choisi un psychanalyste, il est très gentil...

— Non, je n'irai pas, je te l'ai dit, je ne veux voir personne.

— Il est trop tard, j'ai déjà pris le rendez-vous.

— Tu n'as qu'à l'annuler, je n'irai pas.

— Tu ne vas pas recommencer à faire des caprices, je t'y traînerai s'il le faut.

— Cela va t'avancer à quoi, je ne vais pas lui dire un mot et tu paieras vingt mille balles à chaque fois. J'aimerais autant que tu me les donnes. D'ailleurs, comme je n'irai pas de moi-même, tu ne vas pas t'amuser à m'y traîner à chaque séance.

— Tu iras de toi-même, crois-moi ! »

Je l'aurais tuée. Des choses comme ça devraient être punies de mort. Vous ne trouvez pas ? Elle se radoucit maintenant.

« C'est pour ton bien que je fais ça.

— Je ne veux pas y aller. »

J'ai essayé de savoir le jour du rendez-vous pour m'éclipser discrètement mais ça n'a pas marché et le jour en question j'étais en train de lire un roman passionnant. C'est fou la force cachée que possèdent les gens. Je me suis carrément écroulée par terre en essayant d'être le plus lourde possible, je pleurais toutes les larmes de ma saleté de poitrine, elle m'a attrapée par les cheveux... je ne peux pas supporter cela, pour m'anéantir il suffit de les effleurer et je fais tout ce que vous voulez, vrai. Si j'avais eu un poignard dans la main, je crois que je serais en prison pour le reste de ma vie. Elle avait pris cet air buté et volontaire de femme à qui on ne résiste pas. Lueur de satisfaction, de triomphe, exactement la même que celle de cette geôlière lorsque j'avais enfin pris ma fourchette. Je ne veux pas réfléchir, je vais faire une fugue, elle ne me verra plus jamais. Elle ne me touchera plus avec ses sales mains de gardienne de prison.

Le psychanalyste habitait rue de Sèvres, dans un de ces petits immeubles bourgeois, remplis de vieux croûtons aigris. Je pleurais toujours pour la rendre coupable, ça l'ennuyait drôlement, elle ne voulait pas passer pour la mère sadique.

« Arrête de pleurer. Si celui-là ne te plaît pas, tu en choisiras un autre.

— Je n'en veux aucun, ce sont tous des cons. »

Horrible salle d'attente. Un monsieur commence à vanter les mérites de ce médecin de l'âme... Non! Ils se sont occupés de mon âme peut-être! Ils ont mis un entonnoir dans le bec de l'oie et ils ont déclaré d'un ton suffisant : « Elle est guérie. » Vous allez voir ce que je vais lui envoyer dans les mâchoires à cet imbécile! Non, surtout ne pas se mettre en colère, il serait capable de déclarer : agressivité refoulée avec symptômes de violence cachée...

Petit bureau, grand canapé pour les malades de l'âme, pour les vieilles grand-mères avec leur caniche à poil dur. Un monsieur assez jeune avec un air savant et buté et bien entendu des lunettes : « Asseyez-vous je vous en prie. » Elle prend une voix chagrine et doucereuse. Un vrai pot de miel, ça tombe mal, je déteste le miel.

« Elle ne voulait pas venir, je sais qu'elle m'en veut terriblement de l'avoir emmenée, mais je ne pouvais pas faire autrement, c'est pour son bien, n'est-ce pas? »

Elle me dégoûte, si je pouvais, je lui vomirais dessus.

« Ce n'est pas normal, elle ne sait toujours pas pourquoi elle a fait ça, alors vous comprenez, je ne veux pas la laisser... »

Quelle impolitesse en plus! Elle parle comme si je n'étais pas là, on défend aux enfants de dire « elle », « il ».

« Je vais lui parler un instant. Attendez dans le salon, s'il vous plaît. »

Ah! bon! J'aurais dû m'en douter, ils ont déjà

eu un « petit entretien », elle a pu mentir à son gré...

« Tiens, il y a des crayons de couleur et du papier si tu veux dessiner... »

Il me prend... Peut-être pour ce que je suis réellement, mais je ne veux pas de ses pâtes à modeler, de son papier...

« Alors ? (Silence.) C'est à cause du divorce de tes parents ?

— Ah ! non. Vous n'allez tout de même pas recommencer avec vos stupides questions. D'abord, je vous le dis, je ne reviendrai jamais vous voir. Elle m'a traînée jusqu'ici par les cheveux. Vous ne vous êtes pas rendu compte que c'est elle qui a besoin de se faire soigner ? Remarquez, ça ne m'étonne pas, les psychologues sont tellement psychologues. Moi, je n'en ai rien à foutre de votre divan, je n'ai pas besoin de parler, c'est elle...

— En effet, si elle vous a forcée à venir, une analyse ne pourrait être d'aucune utilité...

— Je ne veux voir personne. Ce n'est pas votre tête qui me déplaît, mais je ne veux plus voir ces imbéciles de psy n'importe quoi, chiatres ou chanalystes, alors ne lui donnez pas d'adresse de confrères.

— Vous vous sentez bien ?

— Je ne répondrai pas à vos questions, je vous ai dit que je ne voulais pas parler. Dites-lui seulement que ce n'est pas un moyen de soigner les gens que de les traîner par les cheveux, c'est tout.

— Vous avez l'impression d'être guérie ?

— Vous tenez à vos clients ? »

Je crois que ce coup-là il a compris. Elle revient s'asseoir avec un sourire innocent. Cheveux teintés trop noir peau bronzée qui sent Helena

Rubinstein, battements de cils, la voix qui s'éraille. Il est un peu jeune pour toi, tu ne crois pas? Et puis, ce n'est pas très original, on sait bien pourquoi les femmes « détraquées » préfèrent les psychanalystes hommes. D'ailleurs, on se demande à quoi il pourrait servir sans cela. Elle me jette des coups d'œil méchants. Un vrai corbeau prêt à vous sauter dessus.

« Etant donné que vous avez forcé votre fille à venir, vous comprenez bien que... Enfin, nos théories, notre méthode est fondée sur la volonté du malade. S'il ne veut pas de notre aide... Par contre... Voulez-vous sortir quelques instants, mademoiselle? »

Elle me rembarqua dans sa guimbarde sans me dire un mot. Elle avait mis trop de parfum, du 19 de Chanel « c'est chic », et ça me donnait un peu mal au cœur. Je m'en moquais pas mal, de ce qu'il avait pu lui raconter, en tout cas, j'avais compris la méthode pour les neutraliser.

Furieuse, elle me claquait les portes au nez, comme si elle avait de bonnes raisons de le faire, et se refermait dans un mutisme qui ne gênait qu'elle-même.

C'est fou comme les adultes sont enfantins.

Quelque temps plus tard, un de ses « dévoués » amis vint me chercher comme ça, pour m'emmener chez un autre de ces fous.

Je commençais à m'énerver sérieusement, je ne suis pas la malade de service! Faudrait pas me prendre pour une grand-mère à chien-chien.

« Ce n'est pas pareil, c'est un psychiatre celui-là... »

Ils sont bouchés, je n'ai jamais rencontré des gens aussi persévérants dans leur idiotie!

Je ne vais pas décrire la physionomie atroce de

ce vieil abruti congestionné, d'ailleurs il passait son temps à répondre au téléphone... Il faut dire que c'était une amie de ma mère qui le lui avait recommandé, la femme d'un de ses amants. Une femme médecin dont le cabinet servait accessoirement comme lieu de « partouzes ». Ils sont enfantins, mais vulgaires. Je réussis à neutraliser également celui-ci. Ça commençait à coûter cher, et ma mère, pour tout vous dire, est un peu radine, alors...

Elle laisse toujours traîner ses lettres comme à dessein. Longtemps après ce que je viens de raconter, je lus sur l'une d'entre elles, le nom d'un psychanalyste, il y avait deux ans qu'elle « se faisait suivre » !

J'ai reçu une lettre de Dominique qui avait maigri de huit kilos en une semaine, celle qui avait suivi sa sortie. Ses parents ont eu la désinvolture de la ramener dans le pavillon. Cette fois, ils n'avaient plus d'excuse, ils savaient ce qui attendait leur fille. Mais les parents s'en moquent, les parents ne devraient pas exister. Ils auraient pu s'informer, se renseigner, chercher une clinique décente. Accepter que leur enfant ne veuille plus d'eux, car comment expliquer cette rechute, sinon comme la conséquence de maladresses impardonnables, coincées dans la gorge d'un squelette ?

Comme ils n'ont pas trouvé le remède, ils vous enferment pour ne pas avouer leur déconvenue. Ils jouent avec votre vie entière comme avec leurs médicaments et vous font revenir une semaine, trois mois ou trois ans après votre maladie, pour une dépression, un suicide, pour un de ces troubles « indéfinissables » provoqués par leur première erreur. Ils ne l'avoueront jamais.

Ils ne peuvent pas se tromper...

Il paraît qu'il existe des cliniques où l'on soigne réellement les gens. Chacun a sa maison dans un grand parc, pas de clefs, pas de verrous, pas d'ordres...

Ils attendent que je revienne. Leur chantage continue à me menacer. Lorsque le bus passe devant l'autre hôpital, celui des Enfants Malades, ce n'est plus la première peau de la fausse sensibilité qui éclate, c'est quelque chose que je ne peux décrire, percutant et violent. Une sensation muette mais étourdissante. Je l'ai renvoyée au plus profond de moi-même, le souvenir était trop douloureux. J'ai voulu tout oublier et encore une fois je me suis trompée de chemin... comme toujours. « Fou », un mot qui me faisait frémir, qui m'accusait... « Psychiatre », une intonation qui me révoltait et me laissait dans une rage insoutenable pendant un temps indéfinissable... « Hôpital », une angoisse, il me fallait un refuge, une cache immédiatement. Personne ne pouvait me l'offrir. Tous mes rapports avec les gens étaient faussés, après tout, eux aussi étaient des gens « de la rue », quelle différence? Je voulais être intolérante et butée, je voulais continuer à refuser leur monde. Seulement, la première fois, je m'étais trompée. Je recommençais sans les autres. Seule avec moi, ils m'avaient trop habituée à la solitude et la présence des gens me paraissait intéressée et fausse. La deuxième fois, je me trompais également. Avec les personnes que j'aurais aimé atteindre, je ne pouvais pas non plus modifier mon attitude. Tout s'était refermé sur moi comme pour me protéger des attaques, je n'existais plus. J'aurais voulu crier, mais ils avaient également pensé à cela. Et perdue parmi les rues, toujours à la recherche de la véritable porte, tour à tour seule avec les rêves et la tristesse de la réalité, j'errais à travers un nouvel asile tellement plus terrible.

J'ai enfin réussi à crier. Et ce cri s'est perdu dans le silence d'une maison aux murs décorés, ma nouvelle cellule. Plus grande, moins sale, isolée du monde. J'aurais voulu déchirer, tuer, violer. Mon ambition n'a pas de limites lorsqu'elle a pour but de libérer mon âme. J'aurais voulu incendier ce pavillon oublié au milieu d'un asile de folie et tous ceux que ces serpillières de psy ont murés. Anéantir leurs sales verrous et leurs sales murs. Prétention ? Je sais que je ne peux rien y faire sinon crier, un cri fou qui ne déchire que mon propre cœur, que ma propre voix, un cri pour les enfants abandonnés, un autre appel, une demande d'amour qui, elle aussi, se perdra dans le vide des rues sales, dans le vide de ces esprits habités par les prostituées du sexe. Personne n'entend. Ils préfèrent donner de l'argent aux pauvres vieillards oubliés, ils préfèrent prendre la rue Saint-Martin et regarder les seins des putains. Le cri retentit, s'élève, s'enfle, dernier sursaut, la douleur éclate en plein ciel, un sang putréfacteur se déverse, transparent comme leur courage, limpide par son intensité et il reste sur le pavé luisant de pluie, un cafard écrasé par un talon de botte.

EPILOGUE

J'ai crié en silence pendant deux ans.

En violence pendant trois semaines; le temps de déverser toute ma haine sur les touches d'une machine à écrire.

Les souvenirs mal enfouis vous torturent et s'enfuient par votre bouche juste lorsqu'ils ne le devraient pas. Et viennent l'agressivité, la rancune, la douleur, toutes choses punies de solitude et d'isolement car les gens en ont peur. Ils se sentent menacés et vous restez éternellement dans votre cellule et votre rancœur avec la lumière d'espérance.

Depuis plus de deux ans, ma vie, cette vie de prisonnière continue dans un décor quelque peu différent mais pour moi proche des cachots de l'hôpital. Prisonnière de mes angoisses, de mes craintes, prisonnière de moi-même et de « cette » femme, dans le vide sinistre de ma chambre, de cette chambre qui m'a été imposée, au risque de souffrir, j'ai choisi de parler pour oublier, pour rayer, pour me libérer de ces humiliations quotidiennes plus cruelles que les coups qui m'auraient permis de nourrir ma haine.

J'ai l'impression de n'avoir pas su trouver les

mots exacts. Je ne le pourrai jamais, je ne sais pas me servir des phrases, toutes elles se retournent contre moi et je suis obligée d'avouer sinon ma déconvenue du moins ma défaite. J'aurais, peut-être, voulu qu'ils percent toutes les peaux, les fausses, les mièvres... des mots qui se seraient infiltrés dans vos pensées sans pouvoir s'en échapper, des mots qui vous auraient laissé une boule d'amertume aussi difficile à avaler que celle contre laquelle je lutte depuis des éternités. Mais je n'ai pas ce pouvoir. Dans ce monde, rien n'a de pouvoir sur la sensibilité des gens, vous pouvez mourir de souffrance sur le trottoir tandis que les passants courent vers leur havre perdu au fond d'un couloir. Vous pouvez mourir de tristesse solitaire, et crier jusqu'à ne plus avoir de voix.

C'est un monde qui n'écoute rien. Rien. La seule chose qu'on vous demande, c'est de laisser une explication plausible et claire pour votre acte de décès.

Je n'arrive pas à fixer mes souvenirs, comme si cette réalité m'échappait. En fait, je ne la perçois que restreinte, et si les longues descriptions que, peut-être, vous attendiez sont absentes de ce récit, c'est que le monde matériel me parle par flashes. Les images que je perçois sont celles qui me choquent, elles me contraignent à les refuser, à m'échapper dans mes chimères, « à nourrir ma névrose » comme ils disent. J'aurais voulu m'évader pour leur montrer combien ils étaient stupides et malhabiles pour des psy... Je suis sortie comme un mouton et aujourd'hui je réponds à leur cliché : isolée, névrosée, mal dans ma peau. Je suis toujours en colère et je revois la tête de mon médecin geôlier, son sourire qui croyait avoir gagné...

Eh, alors, le cas que vous avez classé dans vos dossiers de bureaucrates à la page X « guéri » après quatre mois d'internement, une durée somme toute raisonnable, n'est-ce pas ? Non, vous m'avez emprisonnée à l'intérieur de moi-même, enfermée dans mes souffrances, et, avec un air de générosité, vous avez eu l'audace de remplacer mes anciennes geôlières en blanc par cette femme en noir qui ne fait que passer dans le couloir...

Vous m'avez jeté votre monde au visage comme un seau d'eau, je ne trouverai jamais le chemin, je suis perdue. Que possèdent-ils, les gens de votre monde, à part leur univers de sexe ? Que possèdent-ils à l'intérieur d'eux-mêmes ? Je les entends parler à l'entrée des cinémas, dans les wagons du métro, dans les cafés des boulevards, et c'est de la méchanceté, des jugements mesquins, une prétention dérisoire et médiocre.

Mais pourquoi vivent-ils ? pour rien, pour faire comme on le leur a dit.

Et moi, dans votre monde ? Je fuis dans la tendresse des salles de cinéma, je rêve devant l'écran magique pendant les quatre séances de l'après-midi. Et dans le métro, l'éclat métallique des rails m'attire, me renverse comme quelque chose venu d'ailleurs, du plus profond de moi-même. Moi-même c'est tout ce qu'il me reste, tout ce que vous m'avez laissé. Et le train s'approche, mais on me retient, le sang et mes chairs broyées peut-être...

« Cette » femme continue à passer dans le couloir. Elle a perdu son sourire figé et l'a recouvert d'un voile de convenances discrètes. Elle me donne de l'argent pour se donner à elle une conscience irréprochable, elle n'est là que pour cela. Pas de paroles, pas de regards, c'est moi qui l'ai voulu.

Après deux ans, qu'est-ce que je dis, quinze ans d'humiliation et d'affabilité, j'ai enfin réussi à la dépouiller de l'image dont l'avait affublée ce monde débile. C'est un meuble, sans importance, sans personnalité, elle est en train de le devenir parce que j'ai eu le courage de revivre la minute de vérité, la minute où elle a oublié de jouer son rôle. Un acteur ne doit pas oublier. Elle n'a jamais aimé. Elle ne peut plus me traîner derrière ses bottes, aussi me montre-t-elle sa haine et sa colère. Mais un meuble ne vous fâche pas ! je n'ai plus peur, encore moins d'une autorité bafouée, encore moins d'une femme qui a eu l'indécence de se déclarer « mère ».

Ce ne sont pas les enfants que l'on devrait enfermer pour crime de folie, eux ne savent pas se défendre.

J'essaie de retrouver un monde, je regarde tous les chemins avant de choisir le mauvais, mais rien n'est indiqué et personne ne veut me tendre la main, ou plutôt, je ne veux en prendre aucune. Une angoisse me serre le cœur. Ici, la solitude est moins belle car elle est fausse tout en ayant l'apparence d'être véritable. Plus douloureuse.

Vivre, qu'est-ce que cela veut dire ? Je ne sais pas. Je veux dire, je ne sais pas si cette fois-ci j'ai trouvé la vraie route. Je n'arrive pas à oublier et je me réveillerai encore souvent, en criant, pour avoir entendu le petit bruit de la clef tournée dans la serrure.

J'ai erré dans les rues, sans cesse et sans but, j'ai marché des jours entiers sur leurs pavés d'indifférence à la recherche de quelque chose de différent. Je me suis perdue dans cet immense labyrinthe sans même penser à retrouver mon chemin, car je n'en ai pas et je n'en aurai jamais. J'ai tout enterré et recouvert d'un voile de tristesse opaque qui me cache une partie du monde.

Errance à travers une nouvelle prison où les gens parlent comme aux murs, tout m'agresse par son indifférence, je ne trouve plus la vraie raison des choses. Rien n'a de sens. Inutilité profonde et accusatrice. Je me fonds dans la solitude et la tristesse. Désœuvrement, je ne connais plus l'insouciance, la lumière me déplaît et je déteste le soleil, où suis-je donc passée, moi ? Je ne cesse de me chercher et une réplique de cinéma passe, doucereuse : « Il faut être patient, ça peut prendre des années... une vie... »

Mais faites attention, messieurs les psy, vous qui lisez ce mal de vivre avec un sourire du coin des lèvres, elle vous guette cette mendiante dont vous avez tellement peur qu'il vous a fallu créer des institutions pour la briser, l'enfermer... c'est contagieux, vous savez, la folie.

« Composition réalisée en ordinateur par IOTA »

ING
IMPRIMÉ EN FRANCE PAR BRODARD ET TAUPIN
7, bd Romain-Rolland - Montrouge - Usine de La Flèche.
LIBRAIRIE GÉNÉRALE FRANÇAISE.

ISBN : 2 - 253 - 03007 - 4   30/5673/6